これ一冊で日常生活まるごとOK！

英会話 ネイティブの 1行フレーズ2500

デイビッド・セイン

JN100139

青春新書
INTELLIGENCE

⏻ はじめに

　たとえば、相手がこちらのために、時間と手間をかけて何かしてくれたとわかった時、どう言いますか？

　ネイティブは基本、長いフレーズはあまり使いません。
　1行で書けるような、こういう短いフレーズを多用します。

（気をつかって頂かなくても）よかったのに。
You shouldn't have.

　英語には、言いたい内容とその時のシチュエーションにぴったりの、「こういう時にはコレ！」という「1行フレーズ」があります。これを知っておけば、ニュアンスがしっかり伝わります。誤解されたり恥をかいたりといったことも防げます。

　この本では、いろいろな場面で使えるとっておきのフレーズを厳選して紹介しました。ほとんどが中学で習った単語でできています。難しい単語は出てきません。
「この単語、こんなふうに使うと良いのか！」
「この単語でこういうニュアンスが表現できるのか！」
……そんな驚きを感じながら読んで頂ければうれしいです。

　読者のみなさんが言いたい内容が、この本のどこかにあると思います。ぜひご活用ください。

デイビッド・セイン

2 （目安としての）月曜日の10フレーズです。もちろん、「もっとたくさん学習したい」という方はどんどん先に進んでください。

定番のあいさつ

あいさつ

○ こんにちは。
Hello.
……同意：Hi./Hey./Yo. ＊Hey./Yo.は「よう」といったニュアンス。

○ よう、どうだい?
What's up?
……＊カジュアルな使い方。

○ 元気?
How's it going?
……同意：How goes it?/How are things going? /How's everything?

○ 今日はどう?
How's it going today?
……同意：How are you doing today?

○ お元気ですか?
How are you doing?

○ ごきげんいかがですか?
How're you doing?
……＊老若男女問わず使うあいさつ。

○ こんにちは。
Good to see you.
……＊年齢、性別に関係なくよく使う。

○ やあ、こんにちは。
Hello there.
……＊このthereに特に深い意味はない。

○ 状況はどう?
How the world treating you?
……＊「世界はあなたをどのように扱っている?」が直訳、カジュアルな表現。

● やあ。
What's happening?

012

4 学習したフレーズにはチェックを入れましょう。

004

1 目安として、1日に原則10フレーズずつ学習すると1年でコンプリートという構成になっています。GWや夏休み、年末年始などを加味してトータル48週で構成しています。ぜひ、48週でできるかトライしてください！

Tuesday　　　　　　　　　　⌨ Week01

定番のあいさつ
1日のあいさつ

おはようございます。
○ **Good morning.**
　　　　……同意 : Morning.

よく眠れましたか？
○ **Did you sleep well?**

おはようございます。早いですね。
○ **Good morning. You're early today.**
　　　　……★出社してきた人に会社でかける言葉。

おはよう。早いじゃない。
○ **Good morning. You're up early today.**
　　　　……★家で使うあいさつ。

体調はどうですか？
○ **How are you feeling today?**
　　　　……★本当に相手の体調を聞くときの表現。

こんにちは。
○ **Good afternoon.**
　　　　……同意 : Afternoon.

こんばんは。
○ **Good evening.**

寝る時間だよ。
○ **Time to go to bed.**

いい夢を。
○ **Sweat dreams.**

おやすみ、よく寝てね。
○ **Good night, sleep tight.**
　　　　……★韻を踏んでいる。親が子供に使う。

Part1 あいさつ、声をかける　**013**

3 ネイティブが使いこなしているフレーズと和訳、解説です。ぜひ音読して耳からも学習してください。

005

Contents

Part1

あいさつ、声をかける

Part2

誘う・訪ねる・会う

Part3

気持ちを伝える

Part4

日常会話

Part5

家で

Part6

街で

Part7

ビジネス

Part8

SNS

Part9

旅先で

本文デザイン：大下賢一郎

Part1

あいさつ、声をかける

定番のあいさつ

あいさつ

○ こんにちは。
Hello.
………同意：Hi./Hey./Yo. ＊Hey./Yo. は「よう」といったニュアンス。

○ よう、どうだい?
What's up?
………＊カジュアルな使い方。

○ 元気?
How's it going?
………同意：How goes it?/How are things going? /How's everything?

○ 今日はどう?
How's it going today?
………同意：How are you doing today?

○ お元気ですか?
How are you doing?

○ ごきげんいかがですか?
How're you doing?
………＊老若男女問わず使うあいさつ。

○ こんにちは。
Good to see you.
………＊年齢、性別に関係なくよく使う。

○ やあ、こんにちは。
Hello there.
………＊この there に特に深い意味はない。

○ 状況はどう?
How the world treating you?
………＊「世界はあなたをどのように扱っている?」が直訳。カジュアルな表現。

○ やあ。
What's happening?

定番のあいさつ

1日のあいさつ

おはようございます。
○ **Good morning.**
……… 同意：Morning.

よく眠れましたか?
○ **Did you sleep well?**

おはようございます。早いですね。
○ **Good morning. You're early today.**
……… ＊出社してきた人に会社でかける言葉。

おはよう。早いじゃない。
○ **Good morning. You're up early today.**
……… ＊家で使うあいさつ。

体調はどうですか?
◎ **How are you feeling today?**
……… ＊本当に相手の体調を聞くときの表現。

こんにちは。
○ **Good afternoon.**
……… 同意：Afternoon.

こんばんは。
○ **Good evening.**

寝る時間だよ。
○ **Time to go to bed.**

いい夢を。
○ **Sweat dreams.**

おやすみ、よく寝てね。
○ **Good night, sleep tight.**
……… ＊韻を踏んでいる。親が子供に使う。

定番のあいさつ

季節のあいさつ

暑くなってきましたね。
○ **It's getting hot, isn't it?**
………＊hotをcoldにすると「寒くなってきましたね」。

大分涼しくなりましたね。
○ **It's starting to cool down.**

雨がうっとうしいですね。
○ **Don't you hate all this rain?**

ずいぶん過ごしやすくなりましたね。
○ **It's kind of nice weather, isn't it?**

溶けるほど暑いですね。
○ **It's burning hot today.**
………＊burningは「焼ける」という意味で暑さを強調する。

暑くて、死にそう。
○ **This heat is killing me.**

熱中症にご注意ください。
○ **Make sure you don't overheat.**
………＊overheat「過熱する」

水分摂ってね。
○ **Try to drink a lot of water.**

凍えるほど寒い。
○ **I'm freezing to death.**

いつもこんなに寒いのですか?
○ **Does it always get this cold?**
………＊旅行先などで使える表現。

定番のあいさつ

久々に会った時のあいさつ

久々に会えたね!
○ **It's so good to see you.**
········同意：How have you been?

ずいぶんしばらくぶりだなぁ。
○ **I haven't seen you in such a long time.**
········同意：Long time no see!

忙しくしてる?
○ **Have you been keeping busy?**
········同意：It's been too long.

何してたの?
○ **What have you been up to?**

あれからどうしてた?
○ **What have you been doing since then?**
········＊ある時点からどう過ごしていたかを聞く表現。

こんなところで会うなんて!
○ **Imagine meeting you here!**

ここで会うとは思ってなかった。
○ **I never thought I'd see you here.**

最近よく会うね。
○ **We seem to keep running into each other.**
········＊run into... で「思いがけなく〜に会う」という意味。

また会ったね!
○ **Hi, again!**
········＊同じ日にまた会った場合などに。

定番のあいさつ

あいさつに答える

元気ですよ。
○ **I'm fine.**
　………同意： I'm cool. ＊coolはかっこよさなどポジティブな意味を表す。

最高だよ。
◐ **Couldn't be better.**
　………同意：Never been better. 直訳「これ以上よくならない」つまり最高。

とてもいいですよ。
○ **Really good.**
　………同意：Pretty good.

いいよ。
○ **Great.**

元気だよ。
○ **Not bad.**
　………直訳では「悪くない」だが「調子がいい」などポジティブな意味。

まあまあかな。
○ **Can't complain.**
　………complainは「文句」。同意：So-so./ I'm doing okay.

忙しくしてるよ。
○ **I've been keeping myself busy.**

いっぱいいっぱいだよ。
○ **I'm swamped.**

なんとかやってるよ。
○ **I'm surviving.**
　………同意：I've been getting by.

相変わらずだよ。
○ **Same as usual.**

定番のあいさつ

否定的な答え

よくないなぁ。
○ **Not so good.**

いまいち。
○ **Terrible.**

最悪。
○ **Lousy.**
………＊lousyはスラングで「最低」。

あんまりよくないね。
○ **I've had better days.**
………＊もっとましな日も前はあった、と嘆くニュアンス。

体調が今ひとつなんだ。
○ **I haven't been feeling very well lately.**

今が正念場かな。
○ **This is a tough time for me.**

景気が悪くて参るね。
○ **This economy is really tough.**

波に乗れずにいるよ。
○ **I've got a health problem I need to deal with.**

景気が上向けばねぇ。
○ **I wish the economy would improve.**

今が最低かも。
○ **It couldn't be worse.**

定番のあいさつ

初対面のあいさつ

はじめまして。
○ **It's nice to meet you.**

タカシと申します。どうぞよろしく。
○ **I'm Takashi. Nice to meet you.**

会うのを楽しみにしていました。
○ **I've been looking forward to meeting you.**

あなたのお話、よく聞いてます。
○ **I've heard so much about you.**
………＊「色々聞いている」という意味だが、ネガティブな印象は与えない。

リカと呼んでください。
○ **Call me Rika.**

お会いできて光栄です。
○ **Nice to meet you.**

お目にかかれて嬉しいです。
○ **It's a pleasure to meet you.**

会えてうれしいよ。
○ **I'm glad to meet you.**

妻がお世話になっております。
○ **My wife said she appreciates all your help.**

とても有能な秘書でいらっしゃると伺っています。
○ **I've heard you're a great secretary.**

定番のあいさつ

紹介する・される

彼、大学時代からの友人なの。
○ **He's a friend from college.**

友だちのケビンです。
○ **This is my friend, Kevin.**

メアリーを紹介するよ。
○ **I'd like you to meet Mary.**

マイクを紹介したっけ?
○ **Have you met Mike?**

こちら、昔からの知り合いのジョージです。
○ **This is George, an old friend of mine.**

同僚のリンダです。
○ **This is Linda, my co-worker.**

二人とも、知り合いなの?
○ **Do you two know each other?**

紹介したっけ?
○ **Have you been introduced?**

会えて嬉しいです。
○ **It's a pleasure to meet you.**

定番のあいさつ

聞き返す

は？（え？）
○ **Excuse me?**
　………同意：I'm sorry？ ＊ Sorry？はさらにカジュアルな言い方。

よく聞き取れませんでした。
○ **I didn't quite catch that.**
　………＊ここでのcatchは「聞き取る」の意。

何とおっしゃいました？
○ **What was that?**

もう1回お願いします。
○ **Come again?**

もう一度いいですか？
○ **Could you say that again?**

もう1度言っていただけますか？
○ **Could you please repeat that?**
　………＊丁寧な言い方。

（言っていることが）わかりません。
○ **I don't understand what you're saying.**
　………＊会話の内容が理解できない時に。

もう少しゆっくり話してください。
○ **Please speak more slowly.**

もう少し大きな声で話していただけますか？
○ **Could you speak up a little?**

私のヒアリングの問題だと思うのですけど。
○ **I'm afraid I had trouble understanding you.**
　………＊自分が聞き取れなかった、というニュアンス。

定番のあいさつ

天気について

天気に恵まれましたね。
○ **Nice weather we're having.**

やっと晴れましたね。
○ **It finally cleared up.**

あいにくの雨でしたね。
○ **I'm afraid it rained. /Unfortunately, it rained.**
………＊I'm afraid...で「あいにく」と残念なことを述べる時に。

今日は風が強いですね。
○ **It's really windy today.**

今年は台風が多いようですね。
○ **We've had a lot of typhoons this year.**

今年は去年より暑い気がしますよね。
○ **It seems hotter this year than last.**

やっと春めいてきましたね。
○ **It's finally starting to feel like spring.**

もうすっかり秋ですね。
○ **This is definitely autumn weather.**
………＊definitelyで「すっかり」「間違いなく」という意味。

この時期が好きです。
○ **I love this time of year.**

私のお気に入りの季節です。
○ **This is my favorite season.**

雑談を始める

暑さ・寒さ

足がいつも冷えるんです。
○ **My feet are always getting cold.**

寒い季節の到来だね。
○ **Jack Frost is here.**
………＊Jack Frostは寒さを擬人化した言葉。

ここ、暑いなぁ。
○ **It's hot in here.**

外は30度を越えてるわよ。
○ **It's over 30 degrees today.**
………＊degreeは温度の単位である「度」のこと。

溶けちゃいそう。
○ **I'm going to melt.**
………＊melt「溶ける」

ムシムシして嫌ですね。
○ **I hate this humidity.**

クソ暑いなぁ。
○ **It's hotter than hell.**
………＊「地獄よりも暑い」が直訳。上品な言い方ではないので注意。

凍えそう。
○ **I'm freezing.**
………＊freeze「凍る」

夜は冷え込みますね。
○ **It's a little cold at night.**

雪になりそうだね。
○ **It looks like it's going to snow.**

雑談を始める

時刻を聞く、答える

何時?
○ **What time is it?**
………同意：Do you have the time? ＊ Do you have time?だと「今暇?」。

何時かおわかりですか?
○ **Do you know what time it is?**

時計をお持ちですか?
○ **Do you have a watch?**
………＊実際に時計を持っているかではなく、時間を訪ねるときの決まり文句。

時間わかる?
○ **Have you got the time?**

何時か教えてくれる?
○ **Could you tell me what time it is?**

午前12時です。
○ **It's 12:00 (twelve) noon.**

深夜12時です。
○ **It's 12 (twelve) midnight.**

9時ちょうどです。
○ **It's nine o'clock on the dot.**
………＊dotは時計の正時を示す「点」。そこに針がのった、つまり「〜時ちょうど」。

12時10分です。
○ **It's 10 (ten) minutes after 12 (twelve).**

9時15分です。
○ **It's a quarter past 9 (nine).**
………＊a quarter は「4分の1」を表すので、時間では15分を指す。

雑談を始める

どうもありがとうございます。
⭘ **Thank you so much.**
⋯⋯⋯同意：Thanks ever so much. ＊丁寧な言い方。

いろいろとどうもありがとう。
⭘ **Thank you for all you've done.**

いろいろ助けてくれてありがとう。
⭘ **Thank you for all your help.**

サンキュー！
⭘ **Thanks!**
⋯⋯⋯＊親しい人によく使う。

どうもね！
⭘ **Thanks a lot!**
⋯⋯⋯同意：Thanks a million!/Many thanks!

ありがとう。
⭘ **I owe you one.**
⋯⋯⋯＊「借りが一つできたね」という意味。カジュアルな表現。

助かります。
⭘ **I appreciate it.**
⋯⋯⋯同意：Preciate it.

なんとお礼を言ったらいいか。
⭘ **How can I ever thank you?**

お気づかいありがとう。
⭘ **I needed that.**
⋯⋯⋯＊飲み物などを出されて「ちょうど欲しかったんだ」のようなニュアンス。

気をつかって頂かなくてもよかったのに。
⭘ **You shouldn't have.**
⋯⋯⋯＊手土産などを受け取った時によく使う。

雑談を始める

お礼を受けて

どういたしまして。
○ **You're welcome.**
………同意：The pleasure was mine.

こちらこそ。
○ **My pleasure.**
………＊「お役に立てて嬉しいです」という気持ちを表す。

どうってことないですよ。
○ **Not at all.**

こちらこそ。
○ **Same to you.**
………同意：Right back at you.

どういたしまして。
○ **Likewise.**

本当にどうってことありません。
○ **It was nothing, really.**

どうってことないよ。
○ **Don't mention it.**
………＊お礼を言われるほどのことはしてないよ、というニュアンス。

問題ないですよ。
○ **No problem.**

お安いご用です。
○ **No sweat.**
………＊sweatは「心配する」なので、「心配しないで」という意味。

いつでもどうぞ。
○ **Any time.**

雑談を始める

おめでとう

誕生日おめでとう！
○ **Happy birthday!**

おめでとう！
○ **Congratulations!**
………* Congratulationsと複数形になります。

卒業おめでとう。
○ **Congratulations on graduating.**
………同意：You graduated! That's great.

成人になったね。おめでとう。
○ **You're an adult now. Congratulations.**

結婚記念日おめでとう。
○ **Congratulations on your wedding anniversary.**
………* anniversary「記念日」

お幸せにね。
○ **Best wishes on your wedding.**

メリークリスマス！
○ **Merry Christmas!**

幸運を！
○ **Good luck!**

楽しんでね！
○ **Have a good time!**
………同意：Enjoy.

いい旅を！
○ **Have a great trip!**

別れる

別れの言葉

良い1日を。
○ **Have a nice day.**
　　……同意：Stay out of trouble. ＊「厄介ごとには近づくな」が直訳で、友達に。

運転、気をつけてね。
○ **Drive safely.**
　　……＊天候の悪い日の見送りや、夜遅い時などに。

気をつけて行ってきて。
○ **Have a good trip.**
　　……＊遠くへ行く場合に。

あとでね。
○ **See you later.**
　　……同意：See you then.

お会いできてよかったです。
○ **It was nice talking with you.**

話せてよかったです。
○ **I'm glad we had a chance to talk.**

良い晩を過ごせました。ありがとう。
○ **I had such a nice evening. Thank you.**

話ができて楽しかったです。
○ **Nice talking to you.**
　　……類義：Nice meeting you. ＊「会えてよかった」

落ち着いたら連絡してください。
○ **Give me a call when you get settled in.**
　　……＊settle in は「新しい環境などに慣れる」という意味。

連絡を取り合いましょう。
○ **Let's keep in touch.**
　　……同意：Keep in touch.

迎える

出迎える・ねぎらう

ただいま。
○ **I'm home.**

おかえり。
○ **Welcome back.**
………＊「よく戻ったね」と、長らく不在だった人に。

どうだった?
○ **How was your work/school?**
………＊英語に「おかえり」に当たる言葉はないが、戻った人を迎える定番フレーズ。

どこへ行ってたの?
○ **Where have you been?**

いったいどこへ行ってたの?
○ **Where did you go, anyway?**

全然疲れてなさそうね。
○ **You don't look tired at all.**

楽しかったようね。
○ **It looks like you had fun.**
………同意：You look like you had a good time.

疲れてるみたいね。
○ **You look kind of tired.**

疲れたでしょう。
○ **You must be tired.**

少し横になったら?
○ **Why don't you lie down and take a rest?**
………＊疲れて見える相手を労わる表現。

Column1

✐ タブートピックも知っておこう

雑談は、コミュニケーションの上で大切な潤滑油ですが、ビジネスの場面では少々ふさわしくないトピックもあります。

国によって違うので、相手の国の文化なども知っておくとトラブルにならずにすみます。

アメリカでは基本的に政治、宗教、人種についての話題はビジネスでは避けられる傾向にあります。

また戦争についても、根深いものがありますので、あえて付き合いの浅いうちに持ち出さなくてもいいでしょう。

もちろんかなり仲のいい人とのプライベートな時間であれば、率直な意見を交わすことはあるかもしれません。

休日の過ごし方に加えて、家族の話やスポーツの話題は、あたりさわりなくていいでしょう。

週末であれば、

What are you doing this weekend?

（週末の予定は?）

なんて、相手のこれからの予定を聞いてもいいでしょう。

Column2

　誰かが何かに向けて頑張っているのを見たら、何かしら声をかけたくなりますよね。

　そんな時にネイティブは、ジェスチャーにちなんだ表現で応援することがあります。

keep one's fingers crossed は「指を交差させたまま」という意味です。

「人差し指と中指を交差させる」このジェスチャー、映画好きの人ならピンとくるかもしれませんが、「幸運を祈るよ」と、何かにチャレンジしようとしている人に対して使うジェスチャーとフレーズです。

A : **I'm really nervous.**（すごく緊張するよ）
B : **You'll be fine. I'll keep my fingers crossed.**
　　（君なら平気さ。成功を祈ってるよ）

　仕事の面接、発表会、試合など、大舞台を控えた人に向かってかけるフレーズになります。

　もうひとつ **Thumbs up.** は「両方の親指を立てる」というポーズからもわかる通り、「承知した」「いいね！」という賛成を意味します。こんなふうに使います。

A : **Let's go see a movie tonight.**
　　（今晩、映画行こうよ））
B : **Thumbs up!**（いいね！）

Part2

誘う・訪ねる・会う

誘う

誘う

今日の午後は空いてる?
○ **Are you free later today?**

今夜忙しい?
○ **Are you busy this evening?**

明日、何か予定ある?
○ **Do you have any plans for tomorrow?**
　　　　……＊plan が複数形になることに注意。

今度の日曜日、遊ばない?
○ **Let's do something on Sunday.**

明日は何時に仕事が終わるの?
○ **What time do you get off (work) tomorrow?**

来週会おうよ。
○ **Why don't we catch up next weekend?**
　　　　……＊catch up は人に会うことを表すカジュアルな表現

コンサートに行かない?
○ **How about a concert?**
　　　　……同意：Would you like to go to a concert?

観たい映画があるんだ。
○ **There's a movie I'd like to see.**

あなたを友達に紹介したいの。
○ **I'd like to introduce you to a friend.**
　　　　……同意：There's someone I'd like you to meet.

来週どこかでビールでもどう?
○ **Let's grab a beer sometime next week.**
　　　　……＊grab a beer で「ビールを掴む」=「ビールでも一杯どう?」。

誘う

待ち合わせをする

日曜日の11時ね。
○ **So see you at 11:00 on Sunday.**

じゃあ、今度の日曜日ね。
○ **Okay, so Sunday?**
⋯⋯⋯同意：So, should we meet on Sunday?

カフェの前で待ってるね。
○ **I'll be waiting for you in front of the cafe.**
⋯⋯⋯同意：I'll see you at 5:00 in front of the cafe.

駅前のカフェで落ち合いましょう。
○ **Let's meet up at the cafe in front of the station.**
⋯⋯⋯＊meet up at...「〜で待ち合わせましょう」

待ち合わせ時間にちょっと遅れちゃう。
○ **I'll be a little late.**
⋯⋯⋯同意：I'm running a little late.

20分くらい遅れそう。
○ **I'll probably be about 20 minutes late.**
⋯⋯⋯同意：I'm running 20 minutes late.

ちょっと間に合わないや。
○ **I'm not going to make it on time.**
⋯⋯⋯＊make it on timeは、電車や待ち合わせの時間などに「間に合う」。

もうちょっと待ってて。
○ **Wait for just a while longer.**

向かってます!
○ **I'm on my way!**
⋯⋯⋯＊on one's wayで「〜が目的の場所に向かっている最中」という意味。

なるべく早く行くから。
○ **I'll get there as soon as possible.**
⋯⋯⋯I'm on my way right now. ∕I'll get there as fast as I can.

誘う

招待する・返事する

遊びに行ってもいいですか?
- **Can I go to your house?**
  ………同意: Can I drop in on you? * drop in で「ちょっと立ち寄る」という意味。

今夜訪ねていいですか?
- **Do you mind if I come by?**
  ………* Do you mind if... if以下のことをしても構わないか許可を求める時に。

後で寄ってもいい?
- **Can I come over later?**
  ………同意: Would you mind if I stopped by tonight?

今度我が家にいらっしゃいませんか?
- **How about coming over sometime?**

うちで食事でもどう?
- **Let's have dinner at my house.**

今度の日曜日、うちにお食事にいらしてください。
- **Please join my family and I for dinner next Sunday.**

ぜひ伺わせて。
- **I will definitely be coming.**

喜んでお伺いします。
- **I'd be happy to join you.**

それは楽しそうですね。
- **That sounds like fun.**
  ………* Thatは省略可。

何か持って行きましょうか?
- **Can I bring anything?**
  ………同意: What should I bring?

家に招く・招かれる

招き入れる

よく来てくれました。
○ **I'm so glad you could make it.**
　　……同意：Welcome to our home. Please come in.

さあ中に入って。
○ **Come on in.**
　　……同意：Please come in.

入って入って!
○ **Come right in!**

さあどうぞどうぞ。
○ **Come in and take a load off.**
　　……＊loadは「荷物」を意味するので、「荷物を下ろして」が直訳。

どうぞ、お楽に。
○ **Come in and make yourself at home.**
　　……＊自分の家だと思ってくつろいでください、というニュアンス。

（場所は）すぐわかりました?
○ **Did you have any trouble finding us?**
　　……同意：Did you understand my directions? ＊初めて訪ねてくる人に。

お疲れになったでしょう?
○ **You must be tired.**
　　……同意：Why don't you rest up?

ここまで大変でしたでしょう。
○ **It must have been hard getting here.**
　　……＊遠くから来た人や、わかりづらいところまで来てくれた人に。

おかけになってください。
○ **Sit down and have a rest.**

お手洗いは1階になります。
○ **The restrooms are down the hallway.**

家に招く・招かれる

遅刻を詫びる

待った?
○ **Were you waiting long?**

遅れてすみません。
○ **I'm sorry I'm late.**

お待たせしてすみません。
○ **Sorry to keep you waiting.**

お待たせしていなければいいのですが。
○ **I hope you didn't wait for me.**

先に始めてもよかったのに。
○ **You could've started without me.**
………＊ start without... で「～（人）抜きで始める」。

仕事が長引いてしまってごめんなさい。
○ **Sorry for being late. I couldn't get away (from the office).**

すみません。電車がしばらく止まっちゃって。
○ **Sorry. The trains stopped moving.**

道がすごく混んでいて。
○ **The roads were really crowded.**

電車が遅れてしまって。
○ **The train got delayed.**

迷ってしまって。
○ **I got lost.**

家に招く・招かれる

くつろいでもらう

上着、お預かりします。
○ **Here, let me take your coat.**

上着を脱いで、くつろいでください。
○ **Take your coat off and stay a while.**

上着はどこにかけてもかまいません。
○ **You can just put your coat anywhere.**

好きなところにお座りください。
○ **Sit anywhere you like.**

それ、預かります。さ、どうぞ座って。
○ **Here, I'll take your things—why don't you have a seat?**

おつまみ、お好きにどうぞ。
○ **Help yourself to snacks.**
　………＊ help yourself to... は「〜はご自由にどうぞ」と飲食をすすめる時の表現。

飲み物いかがですか?
○ **Can I get you something to drink?**
　………同意：You must be thirsty. ＊「のど、かわいてるでしょ」という時に。

何をお飲みになりますか?
○ **Would you like something to drink?**

ビールでよろしいですか?
○ **Would you like a cold beer?**
　………同意：How about a cold beer?

お水、持って来ますね。
○ **Let me get you a glass of water.**

家に招く・招かれる

おもてなしへのお礼を言う

本日はお招きいただきましてありがとうございます。
○ **Thank you for inviting me.**
⋯⋯⋯同意：Thanks for the invitation.

すてきなお宅！
○ **What a lovely home!**

お庭、きれいですね。
○ **This is a beautiful garden.**

アクセスのいい場所ですね。
○ **This is really a convenient location.**

環境が素晴らしいですね。
○ **This is a lovely environment.**

リビングの飾り付けがすてきだわ。
○ **I love what you've done with the living room.**

このソファーいいね。
○ **I love this sofa.**

静かでいいところですね。
○ **It's so nice and quiet.**

とてもくつろげます。
○ **It's really relaxing here.**

家に招く・招かれる

食事に誘う・料理をほめる

お時間まだ大丈夫ですか?
○ **Will you have time?**

夕食をいかがですか?
○ **How about dinner?**
⋯⋯⋯同意：Can you stay for dinner?

夕飯ご一緒しませんか?
○ **Would you care to join us for dinner?**

一緒に夕飯どうぞ。たくさんありますから。
○ **Have dinner with us—there's plenty to go around.**

夕食をご一緒できるとうれしいのですが。
○ **We'd love it if you'd stay for dinner.**

とってもおいしいです。
○ **It's delicious.**

どれもおいしいです。
○ **Everything tastes wonderful.**

料理お上手ですね。
○ **You're a wonderful cook.**

レシピを教えていただきたいわ。
○ **Could you give me this recipe?**

この料理はどこで習ったの?
○ **Where did you learn to cook like this?**

帰る

おいとまする

おや、もうこんな時間だ。
Well, it's getting late.
………＊お邪魔してだいぶ時間が経った時に。同意：Wow, look at the time.

もう行くね。
I'd better take off.
………＊take off「出発する・出かける」。親しい人に対して使う。

お招き感謝します。
Thanks for having me over.
………同意：Thanks so much for inviting us.

楽しい晩でした。
Thank you for a great evening.
………同意：It was really nice to be here.

散らかしっぱなしで申し訳ありません。
Sorry for making such a mess.
………同意：I hate to eat and run, but... ＊eat and runで「食い逃げ」。

それでは、失礼致します。
Well, I'd better be going.
………同意：I wish I could stay, but... ＊もっといたい、というニュアンス。

お会いできてよかったです。
It was so nice to see you.

来てくれてありがとうございます。
We're so happy you were able to make it.
………＊ここでのmake itは「都合をつける」。

いつでも寄ってね。
Please drop by anytime.

またそのうちお会いしましょう。
Let's do this again soon.

友人との会話

話しかける

ちょっといい？
○ **Do you have a minute?**

いいかな？
○ **Can I have just a minute?**

ちょっと時間ある？
○ **Got a minute?**
　　　＊minute（分）の他にsecond（秒）も使える。

少し話せますか？
○ **Can we talk?**

ねぇ、
○ **Hey.**
　　　＊話しかける時の定番表現。親しい人に。

聞いて！
○ **Listen up.**
　　　Listen up, guys. ＊複数の友人に対して。

ちょっとこれ見てよ。
○ **Take a look at this.**
　　　同意：Look what we have here.

ねぇ、聞いて！
○ **Guess what?**
　　　＊guess は「推測する」。Guess what?で「何かわかる?」が直訳。

ねぇねぇ聞いた？
○ **Have you heard?**
　　　同意：Did you hear the news?/Did you hear?

大変なことになったよ。
○ **You're not going to believe this.**
　　　＊直訳は「あなたはこれを信じない」。それくらい大変なことだ、ということを表す。

友人との会話

近況を尋ねる

最近何か変ったことは?
○ **So, what's new?**

最近いかがですか?
○ **How've you been?**

仕事はどう?
○ **How's work?**
⋯⋯⋯同意：How was work?

相変わらず忙しいの?
○ **Are you still busy?**
⋯⋯⋯同意：Keeping busy?/Busy as always?

ご家族はどうですか?
○ **How's the family?**
⋯⋯⋯＊How's+人で「〜はどうですか?」と第三者の近況を訪ねる表現。

学校はどう?
○ **How's school?**

勉強のほうは進んでる?
○ **How are your studies going?**
⋯⋯⋯同意：How are you doing in school?

彼氏とはうまくいってる?
○ **Are you getting along with your boyfriend?**
⋯⋯⋯同意：How's everything going with Kenta? ＊名前を知っている場合。

恋人はできた?
○ **Are you seeing anyone?**
⋯⋯⋯＊seeing anyoneは「会っている」ではなく、「付き合っている」の婉曲表現。

いい人できたの?
○ **Is there anyone special in your life now?**

友人との会話

服装・容姿についてコメントする

（その服）かわいいね。
○ **What a lovely outfit!**

似合ってるよ。
○ **You look great.**
………同意：You're looking good./Looking good!

おニューの服?
○ **That looks new.**
………同意：Is that new?

うわぁ、（服装が）バッチリじゃない。
○ **Look at you, all dressed up.**

なんか雰囲気変わったね。
○ **Something's different.**
………同意：You look different.

髪型変えた?
○ **Did you change your hairstyle?**
………同意：Did you do something with your hair?

髪切った?
○ **Did you cut your hair?**

新しい髪型いいね。
○ **I like your new hairstyle.**

スリムですね。
○ **You're looking fit.**

やせたんじゃない?
○ **Did you lose some weight?**
………＊lose some weightで「減量する」。

バーやカフェで

一緒にいいですか?
○ **May I join you?**

この席、空いてます?
○ **Is this seat taken?**

座ってもいいですか?
○ **Mind if I sit down?**

踊らない?
○ **You want to dance?**
………類義：Let's dance.「踊ろうよ」

(その格好) イケてるね。
○ **That's a great dress.**
………＊男性が女性に対してかける言葉。

楽しんでる?
○ **How are you doing this evening?**
………＊話しかけるきっかけの言葉としてよく使われる。同意：Are you having fun?

あれ、どっかで会わなかったっけ?
○ **Don't I know you?**

ツレはいるの?
○ **Are you here with someone?**

車で送ろうか?
○ **Need a lift?**
………＊ここでのliftは、「車に乗せること」。

もう一軒行かない?
○ **How about one more bar?**
………同意：Let's go to one more place.

バーやカフェで

声をかける

人が多すぎますね。
○ **It's too crowded in here.**

すし詰め状態ですね。
○ **I feel like a sardine.**

人でごった返してますね。
○ **This place is wall-to-wall people.**

動く隙間もないね。
○ **I need some elbow room.**
　　　　　＊elbowは「肘」なので「肘を動かせる余裕」。

外で新鮮な空気を吸わないと。
○ **I need to step outside for some fresh air.**

火を貸してもらえる?
○ **Do you have a light?**

お代わりいる?
○ **How about another drink?**
　　　　　＊お酒がなくなりそうな人に対して。話すきっかけの一つ。

気が合うね〜。
○ **We've got lots in common.**

似た者同士かもね。
○ **We're like two peas in a pod.**
　　　　　＊「さやの中の2つのえんどう豆」が直訳で、似ている人同士のたとえ。

ここへは初めて?
○ **Is this your first time here?**

バーやカフェで

酔っ払い

ちょっと、まだ飲み足りないの?
○ **Hey, haven't you had enough?**

もう飲ませないよ。
○ **I'm cutting you off.**

もう飲むのはよしなよ。
○ **I don't think you should order another one.**
………*wastedは「酔いつぶれている」の意。

あいつ(飲みすぎて)感覚がなくなり始めてる。
○ **He's feeling no pain.**

こいつベロベロだ。
○ **This guy's shit-faced.**
………*shit-facedは「ひどく酔っている」「酔っ払っている」という意味のスラング。

酔いつぶれちゃったよ。
○ **He's totally out of it.**

閉店時間ですか?
○ **Is it closing time?**
………*店員が片付け始めたり客が少なくなってきたときなどに。

閉店は何時ですか?
○ **What time do you close?**

何だって? もう閉店か?
○ **What? Last call already?**
………last call「ラスト・オーダー」

もう閉店時間? 来たばかりじゃん。
○ **It's closing time? We just got here.**

カジュアルな別れ

友人を見送る

運転できる？
○ **Are you okay to drive?**
………＊Are you okay to... で「〜するのは大丈夫?」と確認する時に使う。

タクシーを呼ぶ？
○ **I can call a taxi for you, if you'd like.**

帰りの道はわかる？
○ **Can you find your way home?**
………＊one's way home「帰り道」

忘れ物はない？
○ **Do you have everything?**

出る前にコーヒーでも飲む？
○ **Would you like a cup of coffee before we leave?**

楽しかったね。
○ **It's been our pleasure.**

また近いうちに遊ぼうぜ。
○ **Let's hang out again soon!**

すぐ会おうね。
○ **Let's not wait too long to meet next time!**
………＊間を置かずに会おう、というニュアンス。

カジュアルな別れ

フレンドリーな別れの言葉

気をつけてね。
⊘ **Take care.**

じゃあな。
⊘ **Good-bye.**
………同意：So long.

ごきげんよう。
⊘ **Farewell.**
………＊しばらく会えなくなるなるような場面で。

バイバイ。
⊘ **Bye-bye.**
………同意：Good-bye for now./Bye now.

またね。
⊘ **See you.**
………同意：See ya. ＊ya は you のカジュアル表現。

また後でね。
⊘ **Catch you later.**
………＊「あとであなたを捕まえる」が直訳。親しい人に使う。

それじゃあね。
⊘ **I'll see you around.**
………同意：See you around.

じゃあね。
⊘ **Have a good one.**

それじゃ。
⊘ **Take it easy.**

行くね。
⊘ **I gotta go.**
………同意：I'm off.

カジュアルな別れ

誘いを断る

明日は予定が入っているの。
○ **There's something I need to do tomorrow.**
………同意：I have plans for tomorrow./I'm kind of busy tomorrow.

その日はだめなんだ。
○ **That's not a good day for me.**
………同意：I'm busy on that day.

来週から旅行に行くのよ。
○ **I'm afraid I'll be gone from next week.**
………＊ここでのgoneは「遠くに出かける」というニュアンス。

今日はだめなんだ。
○ **I'm afraid I have something planned today.**
………同意：Today's not a good day for me.

明日なら空いてるんだけど。
○ **I'm free tomorrow.**
………同意：What about tomorrow?

急用ができちゃったの。
○ **Something suddenly came up.**
………＊something come upで「用事ができた」。

急に仕事が入っちゃって。
○ **Something came up at work.**
………同意：I have to go into work today.

明日の約束キャンセルしていい？
○ **Can we put off our meeting tomorrow?**

急用で明日行けなくなっちゃった。
○ **An emergency came up and I can't make it tomorrow.**

残業になっちゃって、今日行けそうもないんだ。
○ **I have to work overtime.**
………＊work overtime「残業する」。

Column3

✏ 人を誘う時のマナー

　接待する際、大切なのは、相手側の気持ちに沿うことです。おすすめのお店に連れて行きたい気持ちはわかりますが、まずは相手に、

Are you in the mood for anything particular?

（特に何を召し上がりたい気分ですか?）

　のように聞くと、相手も苦手なものなどがあればこの時点で伝えやすいのでおすすめです。

　もしくは、

Is there anything you don't like?

（何か苦手なものはありますか?）

　とストレートに聞いてもいいかもしれません。

　また、お酒の席で、日本人はビールを注ぎ合うのがマナーですが、ネイティブは基本的に手酌でOKです。また、ビールをつぎ足すときも、冷たいまま飲みたい人もいますので、強引に注がずに、

How about a beer?

（ビールいかがですか?）

　のように聞いてからにしましょう。

　それと、日本人の気遣いで戸惑うのが「料理の取り分け」です。気遣いはとてもうれしいのですが、苦手なもの、アレルギーなど自分で調節したいので、できれば自分で取りたい、というのが本音。これも、

Do you want me to take some for you?

（お取りしましょうか?）

　のように聞くのがベター。

　基本的にネイティブは自分のペースで飲んだり食べたりしますので、過剰な気遣いはしなくても、自由に食べさせてくれるほうが恐縮せずに気楽だったりします。

Part3

気持ちを伝える

ポジティブな気持ち

褒める

よくやった!
◯ Good job!
………同意：Nice job! ＊特に仕事で何か成し遂げた時によく使う。

よくできました。
◯ Good going!
………＊「よくできたね」「やったね!」といった意味。

よくやった!
◯ You did it!
………同意：Way to go!/Excellent!

でかした!
◯ Well done!

すごいじゃないか。
◯ That's wonderful.

びっくりしたよ!
◯ I can't believe it!

いい子だ。
◯ Good boy./Good girl.
………＊子供をほめる時に。

おりこうさんね。
◯ What a nice boy/girl.
………＊小さな子供に。

よくできました〜。
◯ You did a good job.

はい、ご褒美よ。
◯ You deserve a treat.
………＊deserve「〜を受けるに値する」。

ポジティブな気持ち

応援する

君ならできるよ!
○ **You can do it!**

やってみなよ。
○ **Take a shot at it.**

頑張れ!
○ **Go for it.**

いいぞ!
○ **Stay with it.**

頑張って。
○ **Hang in there.**
………*何かに挑戦して頑張っている人に使うくだけた言い回し。

耐えるんだ。
○ **Tough it out.**
………*tough it out「戦い抜く」。

最善を尽くせ。
○ **Give it your best shot.**
………*one's best shotで「~のできる限りのこと」。

元気出して頑張れ!
○ **Chin up!**
………*「顎をあげる」が直訳、すなわり「うつ向かないで頑張れ」という励まし表現。

後悔のないようにやって。
○ **Make sure you have no regrets.**

苦は楽のたね。
○ **No pain, no gain.**
………*「痛みなくして得るものなし」と辛い状況にいる人を励ます時に使える。

ポジティブな気持ち

励ます

大丈夫?
○ **Are you okay?**
‥‥‥‥＊落ち込んだ表情をしている相手にかける言葉。

心配事でもあるの?
○ **Is something worrying you?**
‥‥‥‥同意：Do you have something on your mind?

どうしたの?
○ **What's the matter?**

落ち込むことでもあるの?
○ **Are things getting you down?**

浮かない顔してどうしたの?
○ **Why are you looking so blue?**

浮かない顔してどうしたの?
○ **What's with the long face?**
‥‥‥‥＊long face「浮かない顔」。

何をイラついてるの?
○ **What's eating you?**
‥‥‥‥＊イライラした様子の相手に。

誰に一日を台無しにされたの?
○ **Who rained on your parade?**
‥‥‥‥＊rain on someone's parade で「〜の一日を台無しにする」。

なんでそんなに沈んでるの?
○ **Why are you so blue?**

落ち込まないで。
○ **Don't let this/it get you down.**
‥‥‥‥＊let someone down「〜を落ち込ませる」。

ポジティブな気持ち

慰める

すべてうまくいくさ。
○ **Everything's going to be okay.**
………同意：It'll all work out.

慰めようか?
○ **Need a shoulder to cry on?**
………＊「泣いて埋めるための肩が必要?」が直訳の慰めの言葉。

いつでも力になるから。
○ **I'm here if you need me.**

明日があるよ。
○ **Tomorrow is another day.**
………＊映画「風と共に去りぬ」の中に出てきた有名なセリフ。

この世の終わりってわけじゃないよ!
○ **It's not the end of the world!**

そういうもんだよ。
○ **That's the way it is.**
………同意：That's how it goes.

人生ってそんなもんだ。
○ **This is as good as it's gonna get.**

やれることはやったじゃないか。
○ **You did the best you could.**
………同意：You did all you could.

いい面を見なくちゃ。
○ **Look on the bright side.**
………＊bright side は物事の「明るい面」、つまりいい部分を見ようという意味。

あとは良くなっていくだけだよ。
○ **It will only get better.**

ポジティブな気持ち

驚く

おぉっ!
○ **Wow!**

えぇっ!
○ **Oh my God!**
………＊My goodness!

わ～!
○ **OMG!**
………＊「オーエムジー」と発音。

えっ!
○ **Holy smokes!**
………同意：Holy cow!/Holy moly!/Holy shit! ＊困惑、驚き、怒りなど。

信じられない!
○ **Unbelievable!**

口あんぐりだよ。
○ **I'm totally dumbfounded.**
………＊ものが言えなくなるほどの驚きを表す。

びっくり仰天だ。
○ **I was flabbergasted.**
………＊flabbergast「びっくり仰天させる」。

驚いた～。
○ **It blew me away.**

ほんとに驚いたね。
○ **It caught me by surprise.**
………同意：It took me by surprise.

嘘でしょ!
○ **No way!**

素直な感情表現

思わず口をつく言葉

本当?
○ **Really?**
‥‥‥‥同意：For real?

冗談抜きで?
○ **No kidding?**

からかってるんだろ?
○ **Are you pulling my leg?**
‥‥‥‥＊ pull someone's leg で「～をからかう / だます」という意味。

作り話じゃないよね?
○ **You're not making this up, are you?**

信じられない。
○ **Unbelievable.**
‥‥‥‥同意：Incredible.

まっさか～。
○ **You've got to be kidding.**

嘘でしょう?
○ **Get out of here.**
‥‥‥‥＊「出て行け」が直訳だが、スラングでは「冗談でしょう」という意味。

私は信じないよ。
○ **I don't buy it.**

信じ難いな。
○ **It's hard to believe.**

それ、本当なの?
○ **Is that really true?**
‥‥‥‥同意：Is that true? / Are you sure?

素直な感情表現

満足／退屈

最高だね。
○ **Things couldn't be better.**

波に乗ってる。
○ **I'm on a roll.**
………＊on a roll は「いい調子」「絶好調」。いいことが続いているような時に。

調子いいよ。
○ **I'm just going with the flow.**

万事順調。
○ **Everything's cool.**

うまくいってるんだ。
○ **Life's been good to me.**

やることなすこと、うまくいっているんだ。
○ **Everything's going great. Right on schedule.**
………同意：Everything's on track.

退屈だ。
○ **I'm bored.**

泣けるほど退屈。
○ **I'm bored to tears.**

あくびが出るほど退屈だ。
○ **What a yawner.**
………＊yawn は「あくびをする」という意味。

終わったら、起こして。
○ **Wake me up when it's over.**

素直な感情表現

うらやましい

いいなぁ。
○ **I'm jealous.**

ああ、うらやましい!
○ **You're making me jealous.**

君が本当にうらやましい。
○ **I'm so jealous of you.**

君になりたいよ。
○ **I wish I were you.**

それ、私もほしいな。
○ **I wish I had that.**
………＊相手の持ち物がうらやましい時に。

その靴ほしいな。
○ **I want those shoes so much.**

それいいわね、どこで買ったの?
○ **That's nice. Where did you get it?**

ハワイ行くの? いいなぁ。
○ **You're going to Hawaii? Lucky you.**
………＊luck you は「ついてるね」「よかったね」という意味。

あなたはラッキーね。
○ **You're so lucky.**

よかったわね～。
○ **I'm happy for you.**
………＊相手に起きたいい出来事に対して、「私も嬉しい」という気持ちを込めて使う。

素直な感情表現

後悔する

後悔してるよ。
○ **I have some regrets.**
………＊regrets と複数にすることに注意。

すごく後悔しているわ。
○ **I feel really bad about that.**

あんなことするんじゃなかった。
○ **I wish I hadn't done that.**

あんなひどいこと言わなきゃよかった。
○ **I feel really bad about what I said to you.**
………＊feel bad「後悔する」「(してしまったことを)悪く思う」

なんであんなこと言っちゃったんだろう。
○ **I don't know why I said that.**

相手が怒るのも無理はないよね。
○ **I can understand why he would be mad.**

後悔先に立たずとはこのことね。
○ **So this is what regret feels like.**

後の祭りだ。
○ **That's water under the bridge.**
………＊water under the bridge「橋の下を流れる川」、つまり過ぎてしまったこと。

覚悟しておくべきだったな。
○ **I should have known.**

時間を戻せたらいいのに。
○ **If only I could turn back the clock.**

素直な感情表現

いい気分

まさか！
○ **You don't say!**

こんなの想像できる?!
○ **Can you imagine that?!**

これは参ったね。
○ **Isn't that something!**

正に青天の霹靂さ。
○ **It was totally out of the blue.**

全く思いもしなかったよ。
○ **It came from nowhere.**

最高の気分だ。
○ **I'm on cloud nine.**

とっても幸せだなぁ。
○ **I'm so happy.**

とてもいい気分。
○ **I'm feeling good.**

最高だ。
○ **I couldn't be happier.**
………∗「これ以上幸せにはなれないだろうな」つまり「今が最高」という意味。

あなたのおかげでいい日だわ。
○ **You made my day.**
………∗誰かがいいことを自分にしてくれた時に。

ネガティブな感情表現

なんとも言えない気持ち

どっちでもかまわないよ。
◯ **I don't care.**

どっちでもいいよ。
◯ **Either way is fine with me.**

私、関係ないわよ。
◯ **Don't look at me.**
………＊自分は無関係だから見ないで、というニュアンス。

どっちでも変わらないよ。
◯ **Makes no difference to me.**

知ったこっちゃねぇよ。
◯ **I don't give a damn/shit/fuck.**
………＊下品な言い方。

何だっていいよ。
◯ **Whatever.**
………＊そんなこと誰も気にしない、と言いたい時に。

なんとも言えないよ。
◯ **I'm speechless.**
………同意：I'm at a loss for words.

言葉が出てこない。
◯ **I don't know what to say.**
………同意：Words fail me.

（自分は）場違いだよ。
◯ **I don't belong here.**

私、浮いていない？
◯ **Am I out of place?**
………同意：Do I stand out?

ネガティブな感情表現

ムカつく

超ムカつく!
○ **I'm pissed off!**
········ ＊pissed offは「ムカつく」という意味のスラング。

腹立つなぁ。
○ **Oh, I'm so mad.**
········ 同意：This is making me mad.

私、非常に怒ってます。
○ **I'm so mad about this!**

あいつ、ムカつく。
○ **That guy ticks me off.**
········ ＊tick offは「怒らせる」「イライラさせる」

許せない。
○ **I'll never forgive him/ her.**

怒りで身体が震える。
○ **I'm so mad I'm shaking.**

思い出したくもない。
○ **I don't even want to think about it.**

恐かったなぁ。
○ **I was terrified.**

おどかしやがって。
○ **You scared the hell out of me.**

死ぬほど恐かった。
○ **I was scared to death.**

ネガティブな感情表現

驚き

まだ、胸がドキドキするわ。
○ **My chest is pounding.**

足ガクガクだよ。
○ **I'm feeling dizzy.**

たまげたなぁ。
○ **I almost jumped out of my skin.**
………＊ jump out of one's skin で「心臓が飛び出るほど驚いた」の意。

ぞっとしたよ。
○ **It gave me the creeps.**

キモ!
○ **That's gross!**

うわ!
○ **Shit!**
………＊スラング。下品な言い方だが、ネイティブが思わず使ってしまう言葉のひとつ。

冗談じゃない。
○ **For heaven's sake!**

ちっ!
○ **Darn it.**
………＊うまくいかなかった時のいらだちを表すひと言。同意：Damn.

参った。
○ **Well, I'll be darned.**
………＊ darned は damned の婉曲表現。ややソフトになる。

何てこった。
○ **What the fuck/shit/hell.**
………同意：Good grief!/Man./Jeez!

ネガティブな感情表現

不安・ストレス

頭がおかしくなりそうだ。
○ **I'm going insane.**

気が変になりそうだよ。
○ **I'm losing my mind.**

心配でたまらない。
○ **I'm so worried.**

もう不安でいっぱい。
○ **All I can do is worry.**

彼 / 彼女のことで頭がいっぱいだ。
○ **I can't get him/her/it off my mind.**

パニクってる!
○ **I'm freaking out!**
　　　　　*freak outは「自制心を失う」「焦る」を意味するスラング。

もういっぱいいっぱいだよ。
○ **I'm at the end of my rope.**

ああっ、ストレスたまるなぁ!
○ **Oh, this is so stressful!**
　　　　　同意: This stress is killing me.

大きなプレッシャーにさいなまれてます。
○ **I'm under enormous pressure.**

ストレスで胃が痛いよ。
○ **This stress is giving me a stomachache.**

ネガティブな感情表現

落ち込み

落ち込んでるんだ。
○ **I feel so low.**

悲しい。
○ **I'm feeling sad.**

へこんでいます。
○ **I'm depressed.**
⋯⋯⋯同意：I'm so blue these days.

落ち込むなぁ。
○ **It's depressing.**

気分は最悪だよ。
○ **I'm down in the dumps.**
⋯⋯⋯＊down in the dumps で「憂うつになる」「気がめいる」の意。

最近落ち込んでいます。
○ **I've been feeling depressed lately.**

がっかりだよ。
○ **What a bummer.**
⋯⋯⋯＊bummerはスラングで「がっかりすること」「残念なこと」

なんて人生だ。
○ **My life sucks.**

何ひとつうまくいかないよ。
○ **Nothing's going right.**

人生終わった。
○ **My life is over.**

微妙な気持ち

はっきりしない

微妙かな。
○ **Well, I don't know. Okay, I guess.**

まだよくわからないな。
○ **It's too early to tell.**

わからないな。
○ **Who knows?**
………＊「誰がその答えを知っている、いや誰も知らない」というニュアンス。

まだ決めかねているよ。
○ **I haven't decided yet.**

そうしたいような、したくないような。
○ **I kind of want to and kind of don't want to.**
………同意：Maybe yes, maybe no.

うん、まぁいいけど。
○ **That sounds okay, I guess.**

どっちも捨てがたいなぁ。
○ **It's hard to give up either one.**
………同意：I really want both of them.

どうしたらいいと思う?
○ **What do you think I should do?**

これは難しい選択だよ。
○ **This is a difficult choice.**

決心できません。
○ **I can't make up my mind.**
………＊make up one's mind「決断する」「決心する」

微妙な気持ち

期待する

期待しているよ。
○ **I can't wait.**
⋯⋯⋯＊「待ちきれない」と期待を込めた表現。同意：Can't wait.

期待しています。
○ **I'm really looking forward to this.**

活躍を期待してるよ。
○ **I know you're going to do a great job.**
⋯⋯⋯＊これから一緒に仕事をする人に。

いい話を聞けるの、楽しみにしてるわ。
○ **I'm looking forward to great things from you.**

応援しているからがんばってね。
○ **I'm behind you.**
⋯⋯⋯同意：I'll be cheering for you.

そうなるように願っているよ。
○ **My fingers are crossed.**
⋯⋯⋯＊cross one's fingersは、魔除けを表す十字架を作ったジェスチャーから。

いつでもついてるからね。
○ **I'm behind you all the way.**

あなたはきっとうまくやるわよ。
○ **You're going to be great.**

とっても期待してます。
○ **I have high expectations for you.**

がっかりさせないでね。
○ **Don't let me down.**

微妙な気持ち

期待外れ

期待外れだったよ。
○ **I was completely wrong.**
⋯⋯⋯同意：That was a letdown.

この程度とはね。
○ **This is not what I had in mind.**

もうちょっと期待してたよ。
○ **I expected something more.**
⋯⋯⋯同意：I was hoping for more.

予想とは違ってました。
○ **I didn't get what I bargained for.**

だまされた。
○ **I've been tricked.**

ぼられたみたいだ。
○ **It seems I got a raw deal.**
⋯⋯⋯＊a raw deal「不公平な扱い」「悪い取引」

買って損した。
○ **What a mistake.**
⋯⋯⋯＊買い物を失敗した時に。

買わなきゃよかった。
○ **I wish I hadn't bought this.**

金返せ!
○ **I want my money back!**

ぼったくりだ。
○ **That was a rip-off.**
⋯⋯⋯＊rip-off「法外な値段を取ること」

味覚について

コメントする

おいしいですね。
○ **It's delicious.**

うまい!
○ **Yummy!**
………＊砕けた言い方。

こりゃひどい味だ。
○ **This is terrible.**

絶品だ。
○ **This is great.**
………同意：This is the best. / Wonderful! / Delicious!

渋みがありますね。
○ **It has a nice bitter taste.**
………＊bitterだけだと「まずい」というニュアンスが含まれてしまう。

好みの味です。
○ **I like this taste.**
………同意：It's just how I like it.

辛いです。
○ **It's spicy.**
………同意：It's hot.

甘いです。
○ **It's nice and sweet.**

しょっぱいです。
○ **It's salty.**

すっぱいです。
○ **It's sour.**

味覚について

味見する

味見してみる?
○ **Would you like a taste?**

一口どう?
○ **Wanna bite?**
………＊Do you want a bite?を略したカジュアルなひと言。

味、見てくれる?
○ **Can you be my taste tester?**

試してみて。
○ **Try some.**

ちょっと味見したいな。
○ **I'd like a little bite.**

もうちょっと塩を足したほうがいいんじゃない?
○ **Maybe a little more salt.**

このくらいの味がちょうどいいよ。
○ **I like it just the way it is.**
………同意：This tastes great just as it is.

ちょっと薄味すぎるかしら?
○ **Do you think it needs something?**
………＊「もう少し味を足したほうがいいかな?」というニュアンス。

味が濃いです。
○ **It has a rich flavor.**

味が薄いです。
○ **It has a subtle flavor.**
………＊subtle「微妙な」「わずかな」

感覚について

空腹

お腹空いちゃった。
○ **I'm a little hungry.**
………I could use a bite to eat. ＊より上品な言い方。

もうお腹ぺこぺこ。
✓ **I'm so hungry I could eat a horse.**
………＊「馬だって食べられちゃうくらい空腹」という表現。

お腹空いて死にそう。
○ **I'm starving.**

なんか食べないと死んじゃうよ。
○ **I'm going to starve to death if I don't get something to eat.**

小腹がすいたな。
○ **I could stand for a bite.**

今食べてもいいし、後でもいいよ。
○ **I could eat now or wait for a while.**

待てるよ。
○ **I don't mind waiting.**

なんか軽く食べたいな。
○ **I want to grab a bite.**
………＊grab a biteは、食事をさっと済ませることを表す。

ちょっとつまめるもの買ってくるね。
○ **I'm going to grab something at a store.**

ちょっとなにかつまみたいな。
○ **Something to snack on would be nice.**
………＊snack on「軽食を取る」

感覚について

におい

何この臭い?
- **What's that smell?**
  ……★不快な臭いがした時の表現。

何か臭わない?
- **Do you smell something?**

この香り何かしら?
- **What's that aroma?**
  ……★好ましい香りがした時。

何だこの悪臭は?
- **What's that stench?**

臭うなあ。
- **I smell something.**

げっ、ひどい臭い。
- **Oh, that's gross.**

うわ、まじで臭い。
- **Boy, something really smells.**

すごくいい匂いがするね。
- **Something smells really good.**

この香り好きなのよね。
- **I like this scent.**

くさ!
- **It stinks!**
  ……★悪臭を嗅いだ時に思わず出るひとこと。

感覚について

体の反応

鳥肌立ったよ。
○ **I got goosebumps.**
………＊goose は「ガチョウ」。ガチョウのでこぼこの肌、つまり鳥肌を表す。

鳥肌が立った。
○ **It gave me the chills.**
………＊give someone chills「〜をゾクッとさせる」

ゾワッとした。
○ **It sent shivers up my spine.**

身体がかっと熱くなった。
○ **I could feel my temperature rising.**
………同意：I suddenly had a hot flash.

焦って冷や汗かいたよ。
○ **I broke into a cold sweat.**

彼は恥ずかしくて顔が真っ赤になった。
○ **He was so embarrassed his face went red.**

自分で顔が紅潮するのがわかった。
○ **I could feel my face going red.**

驚いて心臓が止まりそうになっちゃった。
○ **I was so surprised I thought my heart was going to stop.**

ホラー映画を観ているときのゾクゾク感がたまらないわ。
○ **I love that creepy feeling you get from watching horror movies.**

ドキドキしちゃうわ!
○ **My heart was pounding!**

感覚について

触覚

すべすべだ。
○ **It felt really smooth.**

絹みたいにすべすべ。
○ **It was soft as silk.**

髪の毛サラサラね。
○ **Your hair is so silky.**

岩のようにゴツゴツだ。
○ **It was hard as a rock.**

赤ちゃんの肌みたいにプルプルね。
○ **You have the skin of a baby.**

サラサラしてるわね。
○ **It's so soft and supple.**
……… * suppleは、ものがしなやかな様子を表す。

いい手触りだね。
○ **It feels nice to the touch.**

手触りが悪いよ。
○ **It feels strange.**
……… 同意：It doesn't feel very nice.

ねばねばしてる。
○ **It feels slimy.**
……… * slimyは「ねばねばした」「粘液性の」。

すごくベトベトしてる。
○ **It's really sticky.**

感覚について

視覚

よく見えません。
○ **I don't see very well.**

見えません。
○ **My eyes are failing me.**

眼鏡がないと全く見えないんだ。
○ **I can't see a thing without my glasses.**

コンタクトをしています。
○ **I wear contact lenses.**

目はいいです。
○ **I have good eyesight.**

視力は両目とも2.0です。
○ **I have 20/20 vision.**

彼は目がとてもいいんです。
○ **He has eyes like a hawk.**
………＊ have eyes like a hawk は「タカのような目」という意味。

目がかすみます。
○ **My eyes get clouded over.**

目が疲れた。
○ **My eyes are tired.**

ドライアイです。
○ **I have dry eyes.**

予感／予想

予感

そうだと思ってた。
○ **I have a feeling.**
………＊have a feeling「予感がする」。

何か起きると思ってた。
○ **I knew something was going to happen.**

何かが起こる前兆よ。
○ **It's a sign of things to come.**
………＊sign of...で「〜の予感／前兆」という意味。signs of loveで「恋の予感」。

予想通りさ。
○ **It was just as I expected.**

別に驚きはしなかったよ。
○ **It came as no surprise.**

思った通りだ。
○ **That's what I thought.**

悪いことが起こる前触れだ。
○ **It's a bad sign.**

悪い予感がしてたんだ。
○ **The (hand)writing's on the wall.**
………＊英語の格言のひとつ。旧約聖書（ダニエル書5章）から。

初めから嫌な予感がしてたんだよね。
○ **I had a bad feeling from the beginning.**

映画のエンディングは予想外だった。
○ **The ending to the movie was rather unexpected.**

わかる・理解する

わかった

わかりました。
- **I got it.**
  ………＊Iを省略して Got it. とも言う。

言いたいことはわかりました。
- **I know what you mean.**
  ………同意：I understand.

そうしましょう。
- **I'm with you.**
  ………＊be with は「同じように感じる」という意味で相手への同調を表す。

よ〜くわかっています。
- **I read you loud and clear.**
  ……＊loud and clear は「明瞭に」の意。

わかってるって。
- **I hear you.**

あなたの言わんとしていることは理解しています。
- **I understand what you're saying.**

あなたの考えそうなことはわかるわ。
- **I know what you're thinking.**

言ってることはわかります。
- **I see what you're saying.**

わかってるって。
- **I know, I know.**

やっぱりそう言うよね。
- **I knew you were going to say that.**

わかる・理解する

理解しているか確認する

わかる?
○ **Do you see?**
········同意：You see? / You know?

意味わかる?
○ **Does that make any sense?**

言いたいことわかるかな?
○ **See what I'm getting at?**

理解していますか?
○ **Are you with me on this?**

ここまでわかる?
○ **Are you still with me?**

ここまで理解できてますか?
○ **Does this make sense so far?**
········＊so far「ここまで」

何かわからないことある?
○ **Is there anything that's not clear?**
········同意：Are you getting this?

ちゃんと理解してもらってるかしら?
○ **Does this make sense to you?**
········＊make sense で「意味をなす」。

わかったかな?
○ **Any questions?**
········＊「質問は?」と聞くことで相手が理解してるかを確認する言い方。

わからないことがあったら、言ってよね。
○ **Let me know if something isn't clear.**

わかる・理解する

相談する

相談に乗ってくれる？
○ **Could you give me some advice?**
·········同意：Could I ask you for some advice?

君ならどうする？
○ **What would you do if you were me?**

相談があるんだけど。
○ **I need to ask you something.**
·········同意：Let me run something by you.

大変なことになってるんだ。
○ **I'm in trouble.**

（法的に／上司と／妻と）トラブっててさ。
○ **I'm in trouble with the law / with my boss / with my wife.**

ちょっとまずいことになっててね。
○ **I'm in a fix.**
·········＊in a fix「まずいことになる」

せっぱつまってるんだ。
○ **I'm in over my head.**

抜き差しならない状態なんだ。
○ **I'm between a rock and a hard place.**
·········＊between a rock and a hard place は「苦境に陥って」という意味。

ヘマやっちゃって。
○ **I'm screwed.**
·········＊親しい人に使う言い方。

どうしたらいいと思う？
○ **What do you think I should do?**
·········同意：What am I going to do?

わかる・理解する

相談に乗る

どうしたの?
○ **What happened?**
………同意：What's the matter?

話してみて。
○ **Tell me.**

私でよければ聞くよ。
○ **I'm a good listener.**

相談に乗るよ。
○ **Maybe I can help.**

話すと楽になるよ。
○ **Sometimes it helps to talk.**

なんでも話して。
○ **Tell me everything.**

言わんこっちゃないよ。
○ **Now you've done it.**

やっかいなことになったな。
○ **Things are getting messy.**

大変なことになったな。
○ **You're getting into hot water.**
………＊hot waterは「熱湯」つまり「苦境」を表す。

いい勉強したと思った方がいいよ。
○ **It was a good lesson.**
………＊いい教訓になったね、と励ますニュアンス。

性格

ポジティブな性格

私は明るい性格なの。
○ **I'm basically a cheerful person.**
⋯⋯⋯同意：I'm usually always happy.

君っておもしろいね。
○ **You're so much fun.**

すごくフレンドリーだね。
○ **You're friendly, aren't you.**

明るい人が好きです。
○ **I like happy people.**

彼女は誰とでも友達になれるよ。
○ **She can be friends with anyone.**

彼女は人気者なんだ。
○ **Everyone loves her.**

明るい女性だね。
○ **She's so bubbly.**
⋯⋯⋯＊bubbly「生き生きとした、快活な」

君といると楽しいよ。
○ **I always have a good time with you.**

あなたと一緒にいると明るくなれるわ。
○ **You brighten up my life.**

彼女といると元気が出るよ。
○ **When I'm with her, I feel so alive.**
⋯⋯⋯＊feel alive で「生きてる実感がわく」というニュアンス。

性格

おおらか / 優しい

彼女っておっとりしてるよね。
○ **She's really laid back.**
………＊laid back「落ち着いている、リラックスしている」

彼女は穏やかだよね。
○ **Nothing phases her.**
………＊phaseは「心を乱す」。「何も彼女の心を乱さない」つまり「穏やか」。

彼女はおおらかな性格をしている。
○ **She's really mellow.**

やさしいのね。
○ **You're so kind.**

彼女は人にやさしい。
○ **She is kind to other people.**
………＊kind toで「〜にやさしい / 親切」

あなたはとってもやさしいね。
○ **You're really nice.**
………同意：You're such a nice person.

いつもやさしいね。
○ **You're always so nice.**

君は本当にやさしい人だ。
○ **You're such a nice person.**

やさしくしてくれてありがとう。
○ **Thank you for being so nice to me.**

あなたほどいい人はいないわ。
○ **You're the kindest person I know.**

性格

まじめ・頑固

まじめだねぇ。
○ **You're a hard worker.**

あなたはまじめすぎよ。
○ **You're too serious.**

堅物なんだから。
○ **You don't know how to have fun.**

父はまじめな人だ。
○ **My dad is a hard worker.**

たまには肩の力抜きなよ。
○ **You need to relax sometimes.**

たまには羽目外しちゃえよ。
○ **You need to have more fun.**

私、頑固なの。
○ **I'm stubborn.**
   ⋯⋯⋯＊stubborn「頑固な」「強情な」

意地っ張り!
○ **You're too stubborn!**

私、こうと決めたら後には引かない性格なの。
○ **Once I make up my mind, there's no changing it.**

私の頑固は父譲りなのよ。
○ **I get my stubbornness from my father.**

性格

冷たい・暗い

冷たいねぇ。
○ **You're so cold.**

それってちょっと冷たくない?
○ **That's a little cold, don't you think?**

もっと彼女にやさしくしてあげろよ。
○ **Can't you be a little nicer to her?**

冷たいやつだなぁ。
○ **Are you made of ice?**
　　　　*「お前は氷でできてるのか?」が直訳で、相手の冷たさを表す言い方。

お前、暗いなあ。
○ **You're depressing.**
　　　　同意：You're spooky.

私、根暗なの。
○ **I'm not so sociable.**
　　　　* sociable「社交的」「愛想が良い」

暗くてごめんね。
○ **Sorry for not being a ray of sunshine.**
　　　　* ray of sunshine は「一筋の光」が直訳で「人を明るくさせるもの」。

彼女、暗いよね。
○ **She's an introvert.**
　　　　*「内向的な」「内気な」

彼、気分屋だよね。
○ **He's so moody.**
　　　　* moody「ムラッ気のある」「気分屋」

その暗い性格、なんとかなんないの?
○ **Why do you always have to be so gloomy?**

性格

ドジ・ネガティブ

私、おっちょこちょいだから。
○ **I'm so clumsy.**
………＊clumsyは「不器用」という意味がある。よく失敗する人に対して使う。

彼ってうっかり屋なの。
○ **He's forgetful.**

ちょっと忘れっぽくて。
○ **I'm a bit absent-minded.**

彼って二重人格よね。
○ **He has a split personality.**
………＊split personality「二重人格」。

裏表がある人って苦手だよ。
○ **I hate people with two faces.**

私、すごくネガティブなの。
○ **I'm kind of a negative thinker.**

ポジティブな性格じゃないんだ。
○ **I'm not such a positive thinker.**

なんでもネガティブに考えちゃうの。
○ **I always tend to be a pessimist.**
………＊pessimist「悲観主義者」

この世にはいろんな人がいる。
○ **It takes all kinds.**
………＊It takes all kinds to make a world. の略。

人それぞれです。
○ **Different strokes for different folks.**
………＊「異なった民族にはそれぞれの褒め方がある」ということわざ。

Column4

✎ ほめられたらどう返す?

アメリカ人はとにかく人をよくほめます。

ほめられることに慣れていないからと黙ってしまうのでは会話は進まないので、答え方などみていきましょう。

That's not true.
(そんなことないですよ)

Not really.
(それほどでもないです)

You're just joking.
(ご冗談を)

That's just flattery.
(お世辞だよね)

Don't say that!
(やめて〜!)

Flattery will get you nowhere.
(お世辞を言っても何も出ないよ)

ほめられたら素直にお礼を言った方が、距離はグッと近づきます。

照れずにお礼を返しましょう。

Thank you.
(それはどうも)

Thank you for the complement.
(ほめてくれてありがとう)

That means a lot coming from you.
(そう言ってくれるとうれしいです)

What a nice complement!
(ほめてもらえてうれしい!)

Column5

✏ 白黒は「黒白」?

今時の若者には縁がない「白黒テレビ」からもわかるように日本語では「白」を先に言いますが、英語では **black and white** と「黒」を先に言います。

つまり、white and black と言うと、日本語で「黒白テレビ」と言ったときのような違和感があります。

他にもいくつか、日本語と順序が違うものをご紹介します。

back and forth 前後
ladies and gentleman 紳士淑女
right and left 左右
old and new 新旧
buying and selling 売買

他にも「父母」のように、日本語では「父親」が先ですが、これも英語では逆。
my mother and father のように、「母親」を先に言うのが一般的です。

Part4

日常会話

ケンカ

説明する

どういうこと?
○ **What do you mean?**
………同意：What are you saying?

何があったか全部話して。
○ **Tell me everything that happened.**

わかるように説明して。
○ **Talk to me so I can understand you.**

で、結論は?
○ **What does it boil down to?**
………＊boil down to「つまり〜だ」。

わからないな。
○ **I don't understand.**
………同意：This doesn't make sense to me.

それ、わからないな。
○ **I'm not getting this.**

何が言いたいのかわからないよ。
○ **I don't follow you.**

言いたいことは何?
○ **I'm not sure if I get your point.**

もっとわかりやすく説明して。
○ **Could you make it a little clearer?**

もっと詳しく話して。
○ **Could you give me the details?**
………＊detail「詳細」

ケンカ

ケンカを始める

文句あんのか?
○ **You got a problem?**

何だってんだよ?
○ **You're talking to me?**

やるってのか?
○ **Are you trying to start something?**

その話はやめておいたほうがいい。
○ **You don't want to go there.**
………＊not go there で「その話はしない」という意味。

表へ出るか?
○ **Do you want to step outside?**

やるか?
○ **Want to make something out of it?**

来るなら来い。
○ **Bring it on.**

どっからでもかかってこい。
○ **Give me all you got!**

いい度胸してるな。
○ **You think you're something.**
………＊something には「何か」の他に「すごい」「大した人」という意味がある。

ケンカ、売ってんの?
○ **Are you trying to start a fight?**

ケンカ

ひとこと言う

覚えておけよ。
○ **Don't you ever forget this.**

仕返ししてやる。
○ **I'm going to get even.**
………＊ get even「あいこになる」

やられたのと同じ手段でやり返してやる。
○ **I'll give you a taste of your own medicine.**
………＊ get a taste of one's own medicine「己の薬の味を味わわせてやる」。

危険を冒せば、その報いを受けるのは当然だ。
○ **You mess with the bull, you'll get the horns.**
………＊「雄牛にちょっかいを出せば、角先を向けられることになる」。

この借りは返すぜ。
○ **I'll get you for this.**

嫌味なやつね!
○ **You smarty-pants.**
………＊ smarty-pants「うぬぼれ屋」

あつかましいヤツ。
○ **The nerve!**
………＊ nerve は「神経」以外に「度胸」「図々しさ」を表す。

よくもまあ。
○ **How dare you?**
………＊ ひどい言動をした人を非難する言葉。

生意気な口をきくんじゃない!
○ **Don't get smart with me!**
………＊ get smart「生意気な口をたたく」

何様だ?
○ **Who do you think you are?**

ケンカ

苦手な人に

あっち行け。
○ **Go away.**

放っといてくれ。
○ **Leave me alone.**

一人にしてくれ。
○ **I need some space.**

ちょっと一人にさせてもらえる?
○ **Could you give me a few minutes to myself?**

うんざりだ。
○ **You're a real pain in the neck.**
　　……＊ pain in the neck で「厄介な人」「厄介ごと」という意味。

イライラさせるヤツだ。
○ **You're getting on my nerves.**

人の神経を逆なでするヤツだな。
○ **You rub me the wrong way.**
　　……＊「間違った方向にこする」すなわち「神経を逆なでする」。

本当にイライラさせるな。
○ **You really know how to get under my skin.**
　　……＊ get under one's skin「イライラさせる」

何てひどいことをするんですか?
○ **How could you do such a thing?**

怒らせたな。
○ **You're pissing me off.**

ケンカ

クギをさす

かまわないで!
○ **Get off my back!**

しつこいわよ。
○ **Stop bugging me.**

ちょっと、やめてくれる?
○ **Lay off, would you!**
………＊lay off は「放っておく」。怒りを含んだ直接的な言い方。

何考えてるの?
○ **Where's your head?**

いったい、何やってるのよ。
○ **What the hell are you doing?**

正気?
○ **Is something wrong with you?**

後にして。
○ **I don't need this right now.**

だまされるほどお人よしだと思ってるのか?
○ **Do you think I was born yesterday?**
………＊「昨日生まれたばかりの赤子だとでも思っているのか」つまり「見くびるな」。

そんなことはみんなわかってるよ。
○ **Everyone can see through you.**
………同意：Everyone knows what you're up to.

怒る

叱る

だめじゃない。
○ **Why did you do that?**

なぜこんなバカなことを?
○ **Why did you do such a stupid thing?**

どうかしてるぞ。
○ **You're out of your mind.**

本気とは思えない。
○ **You can't be serious.**

やりすぎだ(言いすぎだ)。
○ **You've gone over the edge.**
········· *go over the edge「許容範囲を超える」「常軌を逸する」というニュアンス。

頭、おかしいんじゃないか。
○ **You've lost it.**

気でも狂ったのか?
○ **Have you gone insane?**
········· *go insane「気が狂う」

全くどうかしてるぜ。
○ **You've completely flipped out.**
········· *flip outは「自制心を失う」「気が変になる」という意味のスラング。

二度とするなよ。
○ **Don't ever do that again.**

これっきりにしてくれ。
○ **Make that the last time.**

怒る

黙らせる・やめさせる

だまれ！
○ **Be quiet!**
………同意：Can it!

静かに！
○ **Keep it down!**

静粛に。
○ **Silence!**
………＊丁寧な言い方。

うるさい！
○ **Shut up!**
………＊ケンカ腰な言い方。

よそでやってくれ。
○ **Go bother someone else!**

もう少しお静かに。
○ **Could you be just a little quieter?**

やめろ！
○ **Knock if off!**

もうたくさんだ！
○ **Enough, already!**

まずいことになるぞ。
○ **This isn't going to turn out well.**

やめてくれ。
○ **Cut it out.**
………＊相手の行動をやめさせるときに使う。

怒る

説得する

思いとどまれよ。
○ **You'd better think twice.**

どうしてもやるのか?
○ **Do you have to (do that)?**

邪魔するのはやめてくれ。
○ **Stop bothering me.**
　　　　　*bother「困らせる」「煩わせる」

いい加減にしてくれよ。
○ **Give it a rest.**

ちょっとやめて。
○ **Do you mind?**

それまでだ。
○ **That's the last straw!**

限界だ。
○ **It's the straw that broke the camel's back.**
　　　　　*「ラクダの背中を折るわら」。我慢の限界などを表す。

もうたくさんだ。
○ **That does it!**

もう我慢できない。
○ **This is more than I can take.**

で?(今度は何だ?)
○ **Now what?**

怒る

こってりしぼられたよ。
○ **I got chewed out.**

上司にどやされちゃった。
○ **My boss raked me over the coals.**
………＊rake＋人＋over the coals (for…)は「〜を非難する」という意味。

女房から大目玉を食らったよ。
○ **I got an earful from my wife.**
………＊earfulは「耳にタコができるほど」ということ。「激しい叱責」の意。

見逃してくれたよ。
○ **They let me off the hook.**
………＊off the hookは「罪や義務から解放されること」を意味する。

ちょっと叱られただけで済んだよ。
○ **I got off with a slap on the wrist.**
………＊a slap on the wristは「軽い罰」の意。

内緒にしておいてください。
○ **Please keep it to yourself.**
………同意：Don't breathe a word of this to anyone.

ここだけの話だよ。
○ **This is between you and me.**
………同意：This goes no further than here.

オフレコということで。
○ **This is off the record.**
………＊「記録に残さない」が直訳。

秘密守れる？
○ **Could you keep this a secret?**

口外しません。
○ **My lips are sealed.**
………＊sealは「封印する」なので、「唇にチャック」つまり「秘密を守る」という意味。

意見を聞く

率直に話してもらう

どう思います?
○ **What do you think?**

これについてどう思いますか?
○ **What do you think of this?**

あとで感想聞かせてくれる?
○ **Can you tell me how it was, later?**

感想を聞かせてください。
○ **Could you tell me what you think?**

なにかご意見はありますか?
○ **Do you have an opinion on this?**

率直なご意見をお聞かせください。
○ **Could you tell me what you honestly feel?**
　………＊honestly「素直な」「率直な」

正直に言わせてもらうね。
○ **I'm going to be straight with you.**
　………＊be straight with は「率直に(正直)に言う」の意。

考えをはっきり言っておくね。
○ **Let me make myself clear.**
　………＊make oneself clear「自分の言いたいことを相手にわからせる」

はっきり言うよ。
○ **I'll spell it out for you.**
　………＊spell out は「詳細に説明する」という意味。すなわち「はっきりさせる」となる。

結論はこうだ。
○ **Here's the bottom line.**
　………＊bottomed line「結論」「最終結果」

言い争う

はっきりしてもらう

何が言いたいの?
○ **What's your point?**
  ………同意：What are you trying to say?

本題に入りませんか?
○ **Can we get down to business here?**

本題に入ってください。
○ **Get to the point.**

(むだ話はやめて)本題に入ってください。
○ **Cut to the chase.**
  ………＊ cut to the chase. は「ずばり要点を言う。」「本題に入る」の意の慣用句。

言いたいことがあるなら言えばいい。
○ **Just say what you've got to say.**

はっきり言えよ。
○ **Go ahead and fire away.**
  ………＊ fire away は「思い切って言う」という意味。くだけた表現。

ズバリ言ってください。
○ **Give it to me straight.**
  ………＊ give it to someone straightは、「隠さずに自分の意見をありのままに言う」。

はっきり言って。
○ **Spit it out.**

いいから早く言え。
○ **Cut the crap.**
  ………＊ crapは「たわごと」。前置きや言い訳が長い人に。

言いたいことがあるなら言ってください。
○ **If you have something to say, speak up.**

言い争う

誤解している人に

それは誤解だ。
○ **You misunderstood.**

誤解だ。
○ **You've got it wrong.**

それは違う。
○ **That's not true.**

そういうことじゃない。
○ **That's not what I meant.**

そんなことは言ってません。
○ **I said no such thing.**

自分に都合のいい部分しか聞こうとしないんだね。
○ **You're only hearing what you want to hear.**

曲解している。
○ **You're twisting my words.**
　………＊「言葉をねじまげている」つまり「都合がいいように取っている」ということ。

勝手な解釈しないで。
○ **Don't twist my words.**

ポイントがずれてます。
○ **You're missing the point.**

はっきりさせておきましょう。
○ **Let me clear the air.**
　………＊ clear the airは「誤解を解く」という意味。

謝る

お詫び

どうもすみません。
◯ **I'm so sorry.**

本当に申し訳ありません。
◯ **I'm terribly sorry.**
⋯⋯ 同意：I'm really sorry.

どうぞお許しください。
◯ **Please forgive me.**
⋯⋯ 同意：I ask your forgiveness.

謝罪を受け入れてくれませんか。
◯ **Please accept my apologies.**
⋯⋯ ＊フォーマルな言い方。

申し訳ございません。
◯ **You have my sincerest apology.**
⋯⋯ ＊sincerestで「心から」という意味。

心からお詫びいたします。
◯ **I offer my heartfelt apology.**

本当にお恥ずかしい。
◯ **I'm terribly embarrassed.**

こちらの責任です。
◯ **I'm fully responsible.**
⋯⋯ 同意：It's all my fault.

本当にそんなつもりはありませんでした。
◯ **I honestly didn't mean it.**
⋯⋯ ＊自分の行為が故意ではなかったことを伝える表現。

二度と起こらないようにします。
◯ **It won't happen again.**
⋯⋯ 同意：I'll never do that again.

歩み寄る

仲直り

約束します。
○ **You have my word.**
………＊ここでのwordは「約束」という意味。

許すよ。
○ **I forgive you.**
………同意：You're forgiven.

いいよ。
○ **It's okay.**

大したことじゃないよ。
○ **It's no big deal.**
………＊big deal で「大したこと」を意味する。

気にしないでください。
○ **Don't worry about it.**

今回は大目に見るよ。
○ **I'll let you off this time.**
………＊let… off は「〜を放免する」。同意：It's no problem.

忘れることにするよ。
○ **I'll let it slide.**
………＊let it slideで「それを放っておく」つまり気にしないでおくという意味。

水に流そうじゃないか。
○ **Let's drop the subject.**

仲直りしよう。
○ **Let's make up.**

友達だよね？
○ **Friends again?**
………＊ケンカして仲直りした後に「また友達になれるよね」というニュアンスで。

歩み寄る

同意する

ええ。
◯ **Yes.**

そうですね。
◯ **Right.**

もちろんですよ。
◯ **Sure.**
    ………同意：You bet./Absolutely./Certainly./Definitely./Of course.

ぜひ。
◯ **By all means.**
    ………＊快諾を表すフレーズ。

間違いなく。
◯ **No doubt about it.**
    ………＊doubt「疑う」

その通りですね。
◯ **That's true.**
    ………同意：That's it.

そうですとも。
◯ **That's for sure.**

それでいいです。
◯ **That works for me.**

異議なし!
◯ **No complaints here.**

賛成です。
◯ **I agree.**

賛成／反対

賛成

大賛成!
○ **I'm all for that.**

それに異議なし。
○ **I can't argue with that.**
⋯⋯⋯＊argue with... 「〜に異議を唱える」

まあいいだろう。
○ **I'll drink to that.**

私もその通りだと思います。
○ **I think that's right.**
⋯⋯⋯同意：You're right.

それでいいよ。
○ **It'll do.**

気に入った。
○ **I like it.**

完璧!
○ **Perfect!**

いいね。
○ **That fits the bill.**
⋯⋯⋯＊ fit the bill は「要件を満たす」

いいねぇ!
○ **Two thumbs up.**
⋯⋯⋯＊thumb は親指のことで、快諾を表すジェスチャーから。

わかったよ。そうしよう。
○ **Okay. Let's do it.**

賛成／反対

賛成しない

イヤだ。
○ **Not a chance.**
………＊chanceは「見込み」を表し、「見込みはない!」ときっぱり断る言い回し。

ダメだ。
○ **I don't think so.**

忘れて。
○ **Forget it.**

あいにくだけど。
○ **I'm afraid not.**

好きじゃないです。
○ **I don't care for it.**
………＊care for「〜を好む」

合点がいかないな。
○ **That doesn't make sense.**

やめとく。
○ **I'll pass.**

間違ってる。
○ **You've got it wrong.**
………＊get it wrong「間違った思い込みをしている」。

とんでもない。
○ **No way.**
………同意：No way Jose. ＊Joseは韻で特に意味はない。

そんなの、全く馬鹿げてる!
○ **That's a load of crap.**
………＊crap「馬鹿げたもの」。loadの代わりにfullを使う人もいる。

賛成／反対

反対

冗談でしょう。
○ **You've got to be kidding.**

そうじゃないと思います。
○ **I don't think it's true.**

うそでしょう?
○ **Are you telling me the truth?**

そんなのたわごとです。
○ **That's a bunch of malarkey.**
………＊malarkey「根拠のない話」「でたらめ」

論外だ。
○ **That's out of the question.**

がまんできない。
○ **I can't stand it.**

あ〜いやだ。
○ **I hate that.**

ムリ、ムリ。
○ **No way.**
………同意：Give it up. ／That's impossible.

サイテー。
○ **It sucks.**
………＊suckは「最低なこと」を表すスラング。

でたらめだ。
○ **That's bullshit.**

賛成／反対

呆れる

ばかげてる。
○ **That's nonsense.**
………＊nonsense「意味をなさない」

絶対に無理。
○ **Absolutely not.**

わけがわからないよ。
○ **That doesn't make sense.**
………同意：No way, Jose.

ばかばかしい。
○ **That's ridiculous.**

ありえないよ。
○ **When hell freezes over.**
………＊「地獄が凍ったら」つまり「ありえない」ということを表す。

大ハズレ。
○ **You're way off base.**

間違ってるよ。
○ **You're dead wrong.**

無理だね。
○ **When pigs fly.**
………＊豚が飛ぶことはないため、相手の頼みごとを断る時に使う。

ばからしい。
○ **Baloney.**

そんなの考えられないことだ。
○ **That's unthinkable.**

賛成／反対

反対の理由を伝える

何か怪しいなぁ。
○ **Something's fishy.**
………＊fishy「嘘くさい」「うさんくさい」

どうもピンとこない。
○ **Something's not making sense.**
………同意：Something's not right about this.

ちょっと信用できないんだよな。
○ **I have some doubts.**

あまり現実的とは思えないのですが。
○ **That doesn't seem realistic to me.**

現実を見ないと。
○ **We need to be realistic.**

もっと理性的になりましょう。
○ **Let's be rational.**
………＊rational「合理的な」。感情論でものを言う人に対して。

地に足つけましょうよ。
○ **Let's keep our feet on the ground.**

机上の空論でしょう。
○ **That's just talk.**

それはこじつけでしょう。
○ **That's a bit of a stretch.**
………＊ここでのstretchは「拡大解釈」という意味で、「こじつけ」というニュアンス。

どうもしっくり来ません。
○ **That doesn't sound right to me.**

一声かける

放っておく

ほっとけよ。
⊘ **Let it be.**

そのままにしとけ。
⊘ **Leave it alone.**

流れに任せろ。
⊘ **Let it go.**

気にすることじゃないよ。
⊘ **Don't worry about it.**

放っておいていいよ。
⊘ **Don't let it trouble you.**

騒ぎ立てるなって。
⊘ **Don't make trouble.**

事を荒立てなさんな。
⊘ **Don't rock the boat.**
………＊「船を揺らすな」が直訳で、「余計なことはするな」という意味のイディオム。

そのままにしといたら。
⊘ **If it ain't broke, don't fix it.**
………＊壊れてないものを直すことはない、つまり「そのままにしておけ」の意。

成り行きに任せよう。
⊘ **Let nature take its course.**

様子を見よう。
⊘ **We'll see.**

一声かける

叱咤激励する

それじゃだめだ。
○ **That's not any good.**
………同意：That doesn't cut it. ＊cut itは「うまくいく」「必要なレベルに達する」。

それじゃうまくいかない。
○ **That won't help anything.**

この程度しかできないの?
○ **Is that the best you can do?**

やればできるはずだろう。
○ **You can do better, and you know it.**

ほかにやるべきことがあるだろう。
○ **You're not finished yet.**

まあ待てよ。
○ **Wait a moment.**
………同意：Hold your horses. ＊焦っている人を落ち着かせる時のフレーズ。

待ちなさい。
○ **Just one minute.**
………同意：Hold on there.

ちょっと一息いれなさい。
○ **Take a deep breath.**

肩の力を抜いて。
○ **Just sit down and relax.**

辛抱しなさい。
○ **Just be patient.**

一声かける

なだめる

まあ落ち着け。
⃝ **Back off for a moment.**
………同意：Give it a rest.

怒るなよ。
⃝ **Don't get mad.**
………＊get mad「怒る」

あんなり派手にやりなさんな。
⃝ **Don't make a scene.**
………＊make a scene「声を立てて騒ぐ」

深呼吸しなさい。
⃝ **Take a deep breath.**

時間がかかるものなんだ。
⃝ **These things take time.**
………＊time outは「休憩」なので「休憩をとれ」という意味。

冷静になろうよ。
⃝ **Don't lose your head.**
………＊lose one's headで「うろたえる」。「冷静になれ」となだめるひとこと。

焦るなって。
⃝ **Don't jump the gun.**
………＊jump the gunは、競技用ピストルの合図より早く飛び出すこと。

急いてはことを仕損じる。
⃝ **Haste makes waste.**
………＊急ぎすぎると失ってしまう、つまり「急がば回れ」のニュアンス。

人生に近道はないよ。
⃝ **There are no shortcuts.**
………＊焦っている人に対して。shortcutは「近道」

慌てないで。
⃝ **Keep your shirt on.**

一声かける

忙しい人に

たまには休まないと。
○ **You need a break now and then.**
………＊ now and then「たまには」

仕事しすぎだよ。
○ **You're working too hard.**

がんばりすぎだよ。
○ **You're trying too hard.**

身体はひとつだよ。
○ **You only have one body.**

全ての人を満足させることはできない。
○ **You can't please everybody.**

あれこれ手をつけすぎだ。
○ **You're taking on too much.**

そんなにたくさんのことを同時にやるのは無理だよ。
○ **You're trying to do too much at once.**

（物事の）優先順位を決めるべきだよ。
○ **You need to set your priorities.**

人生一度きりだよ。
○ **You only live once.**
………＊YOLOと略されることも。

もっとゆっくり、人生を楽しみなよ。
○ **Slow down and smell the roses.**
………＊「ペースを落としてバラの香りでも嗅いで」と、いつも忙しくしている人に。

一声かける

警告する

気をつけて!
○ **Be careful!**

危ない!
○ **Watch out!**

足もとに気をつけて!
○ **Watch out the step!**

伏せろ!
○ **Hit the deck!**

危険!
○ **Look out!**

注意して!
○ **Keep your eyes open!**
⋯⋯⋯＊「目を開けたままに!」つまり注意して見ていてという意味。

前を向いて!
○ **Heads up!**

かがめ!
○ **Duck!**
⋯⋯⋯＊頭上に危険が迫って、かがんで回避する時に。

取り扱いに気をつけて。
○ **Proceed with caution.**

気を抜くんじゃない。
○ **We're not out of the woods yet.**
⋯⋯⋯＊「まだ森の中から脱出していない」が直訳。この「森」は「危険」「困難」を指す。

お金

金銭について

お金ならたっぷりある。
○ **I have plenty of money.**
　………同意：I'm not lacking for money.

生活には困っていない。
○ **I have enough to survive on.**
　………同意：I have enough for my needs.

貯金がかなりある。
○ **I have a lot of money in savings.**

パパからお小遣いをたっぷりもらっちゃった。
○ **My dad gives me a big allowance.**
　………＊allowance「お小遣い」

給料に文句はない。
○ **I'm satisfied with my salary.**
　………同意：I make a good salary.

給料はたっぷりもらっている。
○ **I get a good salary.**
　………＊good salaryは「高い給料」という意味。

臨時収入があった。
○ **I got some extra income.**

ボーナスが出たばかりなんだよ。
○ **I just got my bonus.**

株で儲けたよ。
○ **I made some money from stock.**

宝くじが当たった！
○ **I won the lottery!**

お金

金欠

ギャンブルで有り金を全部すっちゃった。
○ **I gambled away all my money.**

競馬で1000ドル負けたよ。
○ **I lost $1000 betting on horses.**

詐欺師にお金をだまし取られたよ。
○ **I got scammed.**
 ……… * get scammed「詐欺にあう」

無一文だよ。
○ **I'm flat broke.**
 ……… * broke は「金欠」。flat (平ら) を加えると強調される。

ポケットには一銭もない。
○ **My pockets are empty.**

赤字もいいところさ。
○ **I'm in the red.**

借金であっぷあっぷだよ。
○ **I'm up to my ears in debt.**

給料が安くて嫌になっちゃうよ。
○ **My salary is too low.**

にっちもさっちもいかないよ。
○ **I'm between a rock and a hard place.**
 ……… * 岩と固い場所に挟まれている、つまり「身動きが取れない」という意味。

彼はとてもケチだ。
○ **He's so stingy with his money.**
 ……… * stingy「ケチ」

Column6

✎お金の単位

お金の単位は〜 dollars ですが、お店の会計時では、It's 〜 dollars. (〜ドルになります) という言い方はあまりせずに、数字だけ読まれる場合が多いです。

例えば、$10.25だとしたら、**Ten twenty-five.** もしくは **Ten and a quarter.** とだけ言います。

ホテルやレストランなど少しかしこまった場面では、**"Ten dollar and twenty-five cents."** ときちんと単位をつけて言います。

ちなみに、25セント = **quarter** のように、小銭にはそれぞれ通称があり、ネイティブは日常会話ではそちらをよく使います。

小さい順に、

1cent=**penny**
5cents=**nickel**
10cents=**dime**
25cents=**quarter**

となります。レジ係に、**Do you have a nickel?**(5セントある?)などと言われたら、**Yeah.**(あるよ)とスマートにやりとりしたいものですね。

また友人同士の会話では、「dollars」の代わりに「**bucks**」を使うこともあります。**Do you have ten bucks?** と言われたら「10ドル持ってる?」という意味になります。

buckとは牡鹿のことで、昔、牡鹿の皮をお金代わりに使っていた名残だそうです。

Column7

日本と違って戸惑うのが、おつりの渡し方です。

日本では、「1000円お預りしましたので、400円のお返しです」のように「引き算感覚」ですが、アメリカでは、10ドル紙幣で6ドルの買い物をしたら、1ドル札を1枚ずつ、7、8、9、10と足し算していって、最初に預った10ドルに達するまで確認しながら渡していきます。

お釣りや小銭のことは **change** と言います。
「**Do you have any change?**（小銭ある？）」や
「**Here's your change.**（こちらがお釣りになります）」
のように使います。

数字の読み方などはわかりづらく苦労するところですが、一度慣れてしまえばそれほど難しいことではないので、映画やドラマでそういった場面が出てきたら注意して聞いてみましょう。

Part5

家で

食事

献立

今日、何作ろうかな?
○ **What should I make for dinner tonight?**

今日のご飯は何?
○ **What are we having?**

昼 / 晩御飯は何?
○ **What's for lunch/supper?**

またカレー?
○ **Curry? Again?**

やった! ハンバーグだ!
○ **Great! Hamburge steak!**

やったね! ピザ好きなんだ!
○ **Good! I love pizza!**

今夜はスパゲティが食べたいな。
○ **I'd like spaghetti tonight.**

今日は魚の気分だな。
○ **I'm in the mood for fish.**
　　　………＊in the mood for...「〜したい気分である」

今日、ステーキはどう?
○ **Could we have steak tonight?**

食事

空腹

腹ぺこだ。
○ **I'm starving.**

お腹ぺこぺこだわ。
○ **I'm famished.**
………＊famish は「餓死させる」という意味で、be famished で「お腹がペコペコだ」。

腹減って死にそ〜。
○ **I'm dying of hunger.**

今なら何でも食べちゃうよ。
○ **I'd eat anything right now.**

よだれが出ちゃう。
○ **My mouth is watering.**
………＊おいしそうな料理を目の前にして言う言葉。

おいしそ〜。
○ **That looks delicious!**

お腹が鳴ってるよ。
○ **My stomach is growling.**

小腹が減ったな。
○ **I'm a little hungry.**

ちょっとしたものだといいな。
○ **A little something would be nice.**
………同意：Something light would be nice. ＊重たくない軽い食事がしたい時に。

がっつり肉系食べたいな。
○ **I need something meaty today.**

食事

晩御飯までどれくらい?
○ **How much longer until dinner?**

メシはいつ?
○ **When will breakfast/lunch/dinner be?**

晩御飯はいつ?
○ **When's dinner going to be ready?**

ご飯まだ?
○ **Isn't breakfast/lunch/dinner ready yet?**

早くして。もう腹ぺこだよ。
○ **Could you hurry? I'm starving.**

味見してみる?
○ **How about a taste?**

これ味見してみてよ。
○ **You have to taste this.**

ちょっと、この味どうかしら?
○ **How does this taste?**
　　　……★人に味見を頼む時の表現。

お塩足りてるかしら?
○ **Could you tell me if this is salty enough?**

食事

料理の準備

手伝うことある?
○ **May I help anything?**

冷蔵庫の扉を閉めて。
○ **Close the refrigerator door!**

テーブルの支度をして。
○ **Could you set the table?**

このお料理をテーブルに持って行って。
○ **Could you take this to the table?**

じゃがいもを洗ってくれる?
○ **Why don't you wash the potatoes?**

食事ができたって、みんなを呼んでちょうだい。
○ **Go tell everybody dinner's ready.**

2階に行って、食事ができたってみんなに伝えて。
○ **Go upstairs and tell everyone it's time to eat.**

食べる前にお祈りしましょう。
○ **We say grace before eating.**
………＊say grace「祈りを捧げる」

食事のお祈り、君の番だよ
○ **It's your turn to say grace.**

食べましょう。
○ **Let's eat.**

食事

食事を知らせる

食事の時間だよ。
○ **It's time to eat.**
………同意：It's a dinner time!

ご飯ができたよ。
○ **Dinner's ready.**
………同意：Dinner's on the table./We're ready to eat.

早く来て食べなさい。
○ **Come and get it.**
同意：Come and eat!

できたよ〜。
○ **Soup's on!**
………＊「テーブルにスープが上がった」という意味だが、人をご飯に呼び寄せるフレーズ。

早く来ないと、冷めるよ。
○ **Hurry or it'll get cold.**

冷めちゃうよ。
○ **It's getting cold.**

食事の前には手を洗いなさい。
○ **Go wash your hands before eating.**

手洗いを忘れないでね。
○ **Don't forget to wash up.**

みんな、手を洗って。
○ **Wash up, everyone.**

召し上がれ!
○ **Dig in !**
………＊カジュアルな言い方。

食事

食事中

塩を取ってください。
◯ **Pass me the salt, please.**

お砂糖取ってくれる?
◯ **Could you pass (me) the sugar, please?**

ポテトサラダを回しましょうか?
◯ **How about passing the potato salad this way?**

サラダ、もう少しいかが?
◯ **Would you like some more salad?**

そのサラダ、取り分けてもらえる?
◯ **Could you serve the salad?**

大皿を皆さんに回してください。
◯ **Let's pass this big dish around.**

おかわりください。
◯ **May I have seconds, please?**

ご飯もっとどう?
◯ **Would you like some more rice?**

遠慮しないで食べてください。
◯ **Please go ahead and help yourself.**
　　　　　*直訳は「自分を助けろ」。「自分で遠慮なく勝手に取ってね」という意味に。

サラダは好きに取ってね。
◯ **Go ahead and help yourself to the salad.**

食事

後片付け

テーブルを片付けてください。
○ **Please clear the table.**

あなたが洗い物（皿洗い）をする番だよ。
○ **It's your turn to do the dishes.**
………＊do the dishes「皿洗いをする」

お皿を割らないように、気をつけて洗うんだよ。
○ **Make sure you don't break any dishes.**

洗剤をつけすぎないようにね。
○ **Don't use so much soap.**
………同意：You're using too much soap.

先に水で流してからね。
○ **Remember to rinse them first.**

私が洗うから、拭いて。
○ **I'll wash, you dry.**

ただ食洗機に入れればいいよ。
○ **Just throw them in the dishwasher.**

流しに置いておいて。
○ **You can just leave them in the sink.**
………＊食器を洗おうとしてくれた人に。

お皿は私があとでやるから。
○ **I'll wash the dishes later.**

片付けを手伝ってくれるとうれしいな。
○ **If you could help me clean up, that would be great.**

126

リビングで

テレビ・オーディオ

音楽でも聴きましょう。
○ **Let's listen to some music.**

（音量を）下げてくれる?
○ **Would you turn that down?**

（音量を）少しだけ下げていただけますか?
○ **Could I ask you to turn that down just a tad?**

音量を少し大きくしてください。
○ **Could you turn the volume up a little?**

何か聴きたい曲ある?
○ **Is there something you want to listen to?**

今夜何やってる?
○ **What's on tonight?**

今夜テレビで何か面白いものある?
○ **Anything good on TV tonight?**

何か見たかったものあった?
○ **Was there something you wanted to watch?**

リモコン取ってください。
○ **Hand me the remote (control), please.**
　　　　　★リモコンという言い方は和製英語で、英語ではremoteと略す。

だらだらとテレビを見ていてはだめでしょ!
○ **Don't be a couch potato.**
　　　　　★ここでのpotatoは「ポテトチップ」のこと。

リビングで

テレビ

この番組見てる?
○ **Are you watching this?**

チャンネル変えようよ。
○ **Could we change the channel?**

5チャンネルで面白いものやってるよ。
○ **There's a good program on Channel 5.**
⋯⋯⋯★番組はprogram。

何も面白いのやってないや。
○ **There's nothing interesting on.**

7チャンネル、何やってる?
○ **What's on Channel 7?**

映画を録画しておいて。
○ **Would you mind recording the movie?**
⋯⋯⋯★Would you mind ...? で「~してもかまいませんか?」。

タイマーで録画しよう。
○ **Let's set the timer.**

録画に失敗しちゃった!
○ **It didn't record. I didn't record it right.**

その番組は何時から何チャンネル?
○ **What time and what channel is this program on?**

リビングで

家具について

テーブルを新しく買い替えよう。
○ **Let's get a new table.**

うちのソファはソファベッドです。
○ **Our sofa is a convertible.**

クッションをどうぞ。
○ **Would you like a cushion?**

じゅうたんにコーヒーをこぼしちゃった。
○ **I spilled coffee on the carpet.**

すてきな色のカーテンですね。
○ **I like the color of these curtains.**

部屋に上がるときは靴を脱いでください。
○ **Can you take your shoes off, please?**

スリッパをどうぞ。
○ **You can use these slippers.**

傘はこちらに置いてください。
○ **This is for your umbrella.**

トイレをお借りします。
○ **Can I use your bathroom?**

トイレはこちらです。
○ **This is the bathroom.**

リビングで

そうじ・洗濯

何か洗うものある?
○ **Can I wash anything for you?**

洗濯物を干さなくちゃ。
○ **I need to hang up the laundry.**

洗濯物にアイロンをかけておいて。
○ **Could you iron the clothes?**

洗濯物をたたんでくれる?
○ **Could you fold everything?**
·········同意: Could you do the folding?

掃除機の調子がおかしい。
○ **Something's wrong with this vacuum cleaner.**

散らかってるな。
○ **This place is a mess.**

ひどい散らかりようだ。
○ **What a mess.**

足の踏み場もないじゃない。
○ **There's no place to walk.**
·········同意: I can't even see the floor.

まるで空き巣に入られた後みたい。
○ **It looks like someone broke in.**
·········＊ break in で「侵入する」。

リビングで

買い出し・ペット

スーパーで牛乳と卵を買ってきて。
○ **Could you get some milk at the supermarket?**

卵が切れちゃった。
○ **We're out of eggs.**
………＊ be out of は「なくなる」「切れる」という意味。

コメを注文しないと。
○ **I need to order some rice.**

この紙に書いてあるものを買ってきてくれる？
○ **Could you get everything on this shopping list?**

犬の散歩の時間だよ。
○ **It's time to walk the dog.**

ポチに餌をあげて。
○ **Could you feed Pochi?**

フラフィをお散歩に連れて行ってあげて。
○ **Make sure you take Fluffy for a walk.**

猫の砂箱（トイレ）をきれいにしておいて。
○ **Change the cat's litter.**

ドッグ・フードがなくなりそうだ。
○ **We're running out of dog food.**

ノミ取りのシャワーがいるんじゃないか。
○ **He needs a flea bath.**

リビングで

眠る

昼寝するよ。
○ **I'm going to take a nap.**
⋯⋯⋯＊napは「昼寝」「うたた寝」という意味。

ちょっとだけ寝かせて。
○ **I'll just need a quick nap.**

30分で起こしてね。
○ **Wake me up in half an hour, okay?**

もう寝るよ。
○ **I'm going to bed.**

就寝の時間だ。
○ **It's bedtime.**
⋯⋯⋯同意：It's time for bed./It's time to hit the sack.

眠くなっちゃった。
○ **I'm sleepy.**

少し寝とかないと。
○ **I'd better get some sleep.**

そろそろ寝ないと、朝つらいよ。
○ **You'd better get to bed. You're going to have a hard time waking up.**

おやすみなさい。
○ **Good night.**
⋯⋯⋯同意：Sleep tight./Sleep well.

おやすみ。
○ **Nighty-nite.**
⋯⋯⋯＊主に子供に対して使う。

家族について

家族構成

兄が一人います。
○ **I have one brother. (I have an older brother.)**
　………＊アメリカではあまり兄弟の順番は意識しないで紹介することが多い。

姉と妹がいます。
○ **I have an older sister and a younger sister.**

父母と兄と暮らしています。
○ **I live with my mother and father and an older brother.**

私は3人兄弟の2番目です。
○ **There are three children in my family, and I'm the second oldest.**

私は末っ子です。
○ **I'm the youngest child in my family.**

私は長男です。
○ **I'm the oldest son.**
　………同意：I'm an oldest child.

私は長女です。
○ **I'm the oldest daughter.**

母と二人暮しです。
○ **I live with my mother.**

一人暮しです。
○ **I live alone.**
　………＊live alone で「一人暮らしをしている」。

両親は元気です。
○ **My parents are fine.**

家族について

親子関係

うちは仲良し家族です。
○ **We're a close family.**

実はうちの家族、うまくいっていないんだ。
○ **Actually, my family is having problems.**
………＊Actuallyは「実は」と相手にとって意外な事実を述べる時の切り出しワード。

父に似ているとよく言われます。
○ **Everyone says I look like my father.**

君は母親そっくりだ。
○ **You're just like your mother.**

お父さんに似たんだね。
○ **You take after your father.**

彼の髪は父親似だ。
○ **He's got his father's hair.**

カエルの子はカエルだ。
○ **Like father, like son.**

この母にして、この娘あり。
○ **Like mother, like daughter.**

マザコンなのさ。
○ **He's a mama's boy.**
………＊イギリス英語ではmother's boy。

私はお父さん子でした。
○ **I was a daddy's boy/girl.**
………＊daddy's ...で「お父さん子」。マザコンとは違ってポジティブな印象。

134

家族について

しつけ

行儀良くしなさい。
○ **Behave yourself.**
⋯⋯⋯*behave は「行儀よくする」「おとなしくする」という意味がある。Behave.とも。

やめなさい！
○ **Stop that!**

いい加減にしなさい！
○ **That's enough of that!**
⋯⋯⋯同意：Stop it!/Stop!/No, don't!

部屋を片付けなさい。
○ **Clean up your room.**

ちゃんと座りなさい。
○ **Sit up straight.**
⋯⋯⋯*「まっすぐ座りなさい」と姿勢を注意するひとこと。

おもちゃを片付けて。
○ **Pick up your toys.**

読み終わった本は本棚に順番に戻しなさい。
○ **When you're finished, put the books back on the shelf in order.**

手を洗ってきなさい。
○ **Go wash your hands.**

髪をとかして。ぐしゃぐしゃよ
○ **Comb your hair, it's a mess.**

外から帰ったら、うがいをしなさい。
○ **Gargle when you come home.**
⋯⋯⋯*gargle「うがいをする」

家族について

他人の子供に

ごきげんいかがかな?
○ **And how are you today?**

こんにちは、おちびちゃん。
◉ **Well, hello there little fellow!**
………＊fellowは他人への親しみを込めた呼び方。little fellow「おチビさん」。

いくつなの?
○ **How old are you?**

お名前は?
○ **And what's your name, honey?**
………＊honeyは「愛しい人」という意味だが初対面の相手にも親しみを込めて使う。

今日はお母さんと一緒?
○ **Are you with your mom?**

兄弟 / 姉妹は何人いるの?
○ **How many brothers and sisters do you have?**

何年生?
○ **What grade are you in?**

もう学校に行ってるの?
○ **Do you go to school?**

お友達はいっぱいできた?
○ **Have you made a lot of friends?**

好きな科目は?
○ **What's your favorite subject?**

家族について

ほめる

まぁ、こんなに大きくなって！
○ **My, how you've grown!**

すっかりお姉ちゃんになって！
○ **You're a young lady now.**

学校では良い子にしてる？
○ **Are you being a good boy/girl?**

よくできたわね。
○ **That's very good.**

上手よ！
○ **Good boy/girl!**
 ………＊何かを上手に成し遂げて褒めるときに。

ママも鼻が高いわね。
○ **Mom's so proud of you.**
 ………＊proud of... で「〜を誇らしく思う」

よくお返事ができたね。
○ **Good answer.**

もう、何でもわかるんだね。
○ **You're such a smart little boy/girl.**

お絵かきが上手だね。
○ **What a nice drawing! You did a good job!**

よく待っていられたね。
○ **You did a good job of waiting.**
 ………同意：Thank you for waiting. ＊子供の行動をほめる時、「ありがとう」を使う。

体調・健康

体調不良

吐き気がする。
○ **I feel like I'm going to throw up.**
………＊throw up「戻す」

吐きそう。
○ **I'm going to heave.**
………＊heave「〜を吐く」

吐いてばかりなんです。
○ **I've been throwing up a lot.**

飲み下せません。
○ **I can't keep anything down.**

もう3日間吐きっぱなしです。
○ **I've been vomiting for three days now.**

頭痛がします。
○ **I have a headache.**

頭がズキズキするんです。
○ **My head is pounding.**

割れるように頭が痛いんです。
○ **I've got a splitting headache.**

寒気がします。
○ **I have the chills.**
………＊chill「寒気」「悪寒」

めまいがします。
○ **I'm feeling dizzy.**

体調・健康

具体的な症状

熱があります。
○ **I have a fever.**

39度あります。
○ **I have a temperature of 39.**

抗生物質に対してアレルギーが出ます。
○ **I'm allergic to antibiotics.**
　　　　　* I'm allergic to…で「〜のアレルギーです」の意になる。

花粉症です。
○ **I have hay fever.**
　　　　　* hay fever「花粉症」

アレルギー症状が出ています。
○ **My allergies are acting up.**
　　　　　* アレルギーは英語では「アレジー」と発音する

鼻づまりです。
○ **My sinuses are congested.**
　　　　　* sinus「副鼻腔」 同意：I have a stuffy nose.

咳が出ます。
○ **I'm coughing.**

奥歯がズキズキします。
○ **I have inflamed gums.**

くしゃみが止まりません。
○ **I can't stop sneezing.**
　　　　　* cant't stop ...ingで「〜が止まらない」という意味。

喉が痛いです。
○ **I have a sore throat.**
　　　　　* have sore throatは、風邪などが原因で喉が痛い時の表現。

体調・健康

けが・痛み

背中がズキズキします。
○ **My back is sore.**

背中がひどく凝ってます。
◎ **My back is really stiff.**
………＊肩などが「凝った」は stiff で表現。

足首を捻挫しました。
○ **I twisted my ankle.**

手首の捻挫だと思います。
○ **I think I sprained my wrist.**

この足を押すと痛みます。
○ **It hurts when I put pressure on this leg.**

足をこう動かすと痛いんです。
○ **My leg hurts when I move it this way.**

こうすると痛みます。
○ **It hurts when I do this.**

出血しています。
○ **I'm bleeding.**
………＊鼻血の場合は My nose is bleeding.

階段で足を踏み外して転んだんです。
○ **I tripped and fell down the stairs.**

野球のボールが頭に当たりました。
○ **I got hit in the head by a baseball.**

体調・健康

持病について

喘息持ちです。
○ **I have asthma.**
………＊asthma「喘息」。

糖尿病を患っています。
○ **I'm diabetic.**
………＊diabetic「糖尿病」。

不眠症になりました。
○ **I have insomnia.**
………＊insomnia「不眠症」

血糖値が高めです。
○ **My blood-sugar level is high.**
………＊blood-sugar level「血糖値」

血圧が高いんです。
○ **I have high blood pressure.**

（処方）薬を服用しています。
○ **I'm taking medication.**
………＊medicationは「常用している（処方）薬」のこと。

ずっと心臓の調子が悪いんです。
○ **I have a chronic heart condition.**

母方は全員この症状を持っています。
○ **Everyone on my mother's side of the family has had this.**

祖母と父がガンで亡くなっています。
○ **My aunt and my father died of cancer.**

糖尿病の家系です。
○ **A lot of people in my family have diabetes.**

体調・健康

医師への質問

どれくらい重症なんでしょうか?
○ **How serious is it?**

治療は痛いですか?
○ **Will the treatment be painful?**

正直におっしゃってください、先生。ガンなんですか?
○ **Tell me the truth, doctor. Is it cancer?**

治りますか?
○ **Is it curable?**

入院しなければなりませんか?
○ **Do I have to be admitted?**
………＊be admitted「入院する」

手術は必要ですか?
○ **Will I need an operation?**

原因はわかりましたか?
○ **Have they found the cause?**

どれくらい入院していなければなりませんか?
○ **How long do you have to stay?**

退院はいつになりますか?
○ **When will you be released?**
………＊release（from the hospital）で「退院する」。

体調・健康

回復具合

回復に向かっています。
○ **I'm getting better.**

よくなってるよ。
○ **Things are looking up.**
………＊look upは「状況が上向きになる」ということ。

昨日よりいい。
○ **I'm better than I was yesterday.**

すっかりよくなりました。
○ **I'm all better.**

よくなりましたよ。
○ **I feel good now.**

全快しました。
○ **I'm completely cured.**

まだ治療をしに通わないとだめなんだ。
○ **I still have to go back for follow-up visits.**
………＊follow-upはここでは「継続治療」のことを指す。

まだ医者に通っています。
○ **I'm still seeing a doctor.**

まだ治療中なの。
○ **I'm still being treated.**

外来として治療を受けています。
○ **I'm an outpatient.**
………＊outpatient「外来患者」

事故・病気

事故現場

何があったんですか?
⊘ **What happened here?**

どのように起こったんですか?
⊘ **How did it happen?**

けが人は?
⊘ **Was anyone hurt?**

救急車は呼びましたか?
⊘ **Did you call an ambulance?**
………＊警察の場合は、Did you call the police?

携帯です。これで救急車を呼んで。
⊘ **Here's my cell phone. Call an ambulance.**

事故当時、ここにいました。
⊘ **I was here when it happened.**

車のナンバーを見ました。
○ **I got the license plate number of the other car.**

たった今強盗が入って来ました。
○ **I want to report a break-in in progress.**
………＊ break-inは「不法侵入」「押し入り」。in progressは「進行中」という意味。

事故・病気

負傷者に声をかける

痛いですか?
○ **Are you injured?**

どこが痛いか言えますか?
○ **Can you show me where you're hurt?**

立ち上がれますか?
○ **Can you stand up?**

呼吸が苦しいですか?
○ **Are you having trouble breathing?**

どこか行きつけの病院はありますか?
○ **Is there a hospital you usually go to?**

一緒にいた人はいますか?
○ **Are you with anyone?**

動いちゃだめ。
○ **Don't move. Just be still.**

応急処置が出来る人はいませんか?
○ **Does anyone know first aid?**

下手に動かさない方がいいぞ。
○ **You'd better not move.**

どれどれ(私がやりましょう)。
○ **I can help.**
‥‥‥‥＊何かできることがある場合に助けを申し出るひとこと。

事故·病気

緊急事態

火事だ!
○ **Fire!**

向かいの家が火事です。
○ **There's a house on fire across the street.**

まだ誰か中にいますか?
○ **Is there anyone still inside?**

この2人組に襲われました。
○ **These two guys ganged up on me.**
⋯⋯⋯＊gang up on⋯は「～を集団で襲う」の意。

撃たれました。
○ **I'm shot.**

友人が階段から落ちました。
○ **My friend fell down the stairs.**

子供がけいれんを起こしています。
○ **My son/daughter had a spasm.**
⋯⋯⋯＊have a spasm「けいれんを起こす」

妹が襲われ、けがしています!
○ **My sister's been attacked, and she's injured!**

主人がはしごから落ちました。
○ **My husband fell off a ladder.**

うちの赤ちゃんが真っ青です。
○ **My baby is turning blue.**

電話

電話がかかってくる

もしもし。
○ **Hello?**

もしもし、佐藤ですが。
○ **Hello, Sato residence.**

もしもし、どちらさまですか?
○ **Hello. Who is it?**

主人はもう休みましたが。
○ **He already went to bed.**

主人はまだ帰っておりません。
○ **He hasn't come back yet. / He's not home yet.**

妻は入浴中です。
○ **She's taking a bath.**

今手が離せないので、あとで電話します。
○ **She's tied up right now, so she'll call you back.**

ただいま出かけております。
○ **I'm not able to take your call right now.**
………＊留守電のメッセージ

ピーッという発信音の後にメッセージをお願いします。
○ **Please leave a message, after the beep.**
………＊留守電の伝言を録音する時のメッセージ

電話

店への電話 / 注文

何時に開店しますか?
○ **When do you open?**

営業時間は?
○ **What are your hours?**

閉店は何時ですか?
○ **How late are you open?**

週末の営業時間は?
○ **What are your weekend hours?**

祝祭日も営業していますか?
○ **Are you open on national holidays?**

お店の正確な場所は?
○ **Where exactly are you located?**

カタログを送ってください。
○ **I'd like to have a catalog mailed to me.**

電話で注文できますか?
○ **Can I order over the phone?**

Eメールで注文できますか?
○ **Can I order via email?**
　　　　……＊viaは「〜を通じて」。

カードは受けつけていますか?
○ **Do you take credit cards?**
　　　　……＊takeは「受け入れる」「受け付ける」

電話

セールスの電話

けっこうです（興味ありません）。
○ **I'm not interested in that service.**

すみませんが、話している時間がありません。
○ **I'm sorry, but I don't have time to talk.**

今、出かけるところなので。
○ **I was just on my way out.**

どこで名前と番号を手に入れたんですか?
○ **Where did you get my name and number?**

もう一度社名をお願いします。
○ **May I have your company name again?**

こういう電話は迷惑です。
○ **I'm not supposed to receive this type of call.**

興味はあります。
○ **I'd like to know more about the service.**

パンフレットを見たいです。
○ **I'd like to see a brochure.**

パンフレットか何か、送ってもらえますか?
○ **Is there any literature you can send me?**

電話ではカード番号は教えられません。
○ **I never give out my credit card number over the phone.**

Column8

✍ 雑談力をつける

　ネイティブと仕事をする上で、いえ、ネイティブ相手だけでなくても、ビジネスを円滑にするうえで非常に重要になってくるのが「雑談力」です。

　何気ない会話をすることで相手と仲良くなったり、相手の好みなどを把握することができて、仕事に生かすことができるからです。

　英語では **small talk** と呼ばれ、ビジネスで成功するためには、かなり必要なスキルとも言えます。

　ビジネスでのsmall talkにおいては、相手との距離を縮めることが目的です。自分の意見を主張したり、考えを押し付けるのが目的ではない、ということを忘れないでください。相手と気持ちをシェアすることが大切です。

　まずさりげなくこちらから切り出すときは、**How was your…?**（〜はどうだった？）など、イベントごとなどの相手の感想から聞き出すといいでしょう。

　…に入るものは **weekend**（週末）、**vacation**（休暇）、**presentation**（プレゼン）、**trip**（旅）などいろいろ応用できます。

　そして、相手の意見を受けてから、自分のことなどを切り出したりします。

　ほかに、
　Anything new lately?（お変わりありませんか？）
　Did you have a good weekend?（いい休日は過ごせましたか？）
　なども定番の表現です。

Part6

街で

尋ねる

道を尋ねる

道を教えてください。
○ **Could you tell me how to get there?**

すみません、どうも道に迷ったみたいで…。
◑ **Excuse me, I think I'm lost.**

ここに行きたいのですが。
○ **I'd like to go here.**
………＊地図やガイドブックなどを見せて尋ねる時の表現。

このあたりの方ですか?
◑ **Is it around here?**

案内所はどこかわかりますか?
○ **Can you tell me where the information counter is, please?**

そこにはバスが通ってますか?
◑ **Do any buses go that way?**

ホテルのシャトル・バスはどこから出ていますか?
○ **Where are the hotel shuttles?**

5番通りはどの方角でしょう?
○ **Which direction is 5th Street?**

市役所はこの道ですか?
○ **Is this the road to the city hall?**

ここから駅まではどう行けばいいのでしょう?
○ **How do I get to the train station from here?**

尋ねる

道を確認する

ダウンタウンに向かってますか?
○ **Are we headed downtown?**

駅はこの方角で合っていますか?
○ **Is this the right direction for the train station?**

徒歩で行ける距離ですか?
○ **Is it within walking distance?**
········ * within walking distance は「歩いていける距離」のこと。

どれくらいの距離でしょう?
○ **How far is it from here?**

最寄りの地下鉄駅はどこになりますか?
○ **Where is the nearest subway station?**

高速(道)に乗るにはどう行けばいいのでしょう?
○ **Where can I get on the expressway?**

近くに駐車場はありますか?
○ **Is there a parking lot near here?**

最寄りの薬局はどこになりますか?
○ **Where is the closest drugstore?**

クラウン・ホテルまでの最短の道はどれでしょう?
○ **What's the fastest way to the Crown Hotel?**

球場へはどの出口で降りればいいのでしょうか?
○ **Which exit should I get off at to go to the baseball stadium?**

道を教える

行き方を説明する

説明が難しいな。
○ **It's difficult to explain.**

口で説明するのは難しいのでお連れしましょう。
○ **It's difficult to explain, so let me take you there.**

歩いては行けませんよ。
○ **You can't walk there from here.**

かなり距離があります。
○ **It's a hike/trek.**
………＊「ちょっとしたハイキング」すなわち、距離が意外とあることを伝える。

だいぶ離れています。
○ **It's a ways away.**

2ブロック行ったところです。
○ **It's just two blocks that way.**

このすぐ近くです。
○ **It's not far from here.**
………同意：You're almost there.

すぐそこですよ。
○ **It's a stone's throw from here.**
………＊「石を投げても届く場所」という意味で、すぐ近くであることを伝える表現。

ちょっと行った右にあります。
○ **It's up ahead on your right.**

そこの角を曲がったところです。
○ **It's just around the corner.**

道を教える

行き方を説明する

ひとつ目の信号を左に曲がってください。
○ **Turn left at the first signal.**

ここから3番目の横断歩道を渡ってください。
○ **Go across the third pedestrian crossway.**

曲がった道に沿って右に行ってください。
○ **Follow the bend around to the right.**

橋を渡ったところです。
○ **Cross the bridge and you're there.**

川に着いたら左に曲がってください。
○ **When you reach the river, turn left.**

この道をまっすぐ2ブロックほど進んで右に曲がってください。
○ **Go straight up this road for two blocks, then turn right.**

この道に沿ってまっすぐ行き、3つ目の交差点を左に曲がって。
○ **Go straight along this road, and take a left at the third intersection.**

左に曲がって銀行の先へちょっと行ったところです。
○ **Turn left just past the bank.**

郵便局まで行ったら、行きすぎです。
○ **If you hit the post office, you've gone too far.**
………＊hit は「達する」「行き当たる」「至る」という意味。

見逃すことはありません。
○ **You can't miss it.**

お店で

スーパーなどで

マスタードはどこにありますか?

⚪ **Where's the mustard?**

………同意：Where will I find the mustard?

ドッグ・フードは扱っていますか?

⚪ **Do you carry dog food?**

………＊carryは商品などを「扱っている」「売っている」ということ。

パン類はどこですか?

⚪ **Can you tell me where to find the baked goods?**

この豚肉を200グラムください。

⚪ **I'd like 200 grams of pork.**

紙袋をお願いします。

⚪ **I'd like paper bags.**

ビニール袋にしてください。

⚪ **Plastic bags, please.**

パンをつぶさないで。

⚪ **Don't smash the bread.**

割引券を持っています。

⚪ **I have a coupon for that.**

お釣りは1ドル札にしてくれますか?

⚪ **Could you give me the change in singles?**

………＊single＝1ドル札

10ドル、小銭にしてくれますか?

⚪ **Can I have change for a ten?**

お店で

ファスト・フードで

チーズ・バーガー1つとフレンチ・フライを1つください。
○ **I'll have a cheeseburger and fries.**

トッピングを全部のせてハンバーガーを1つください。
○ **Give me a burger with the works.**
………＊the worksとは「トッピング、具を全部」ということ。

ホット・ドッグ1つに、フレンチ・フライをお願いします。
○ **I'll have a hot dog and an order of French fries.**

コーラのSサイズを氷なしで。
○ **Gimme a small cola, no ice.**
………＊Gimme = Give me

もう少しケチャップをもらえますか?
○ **Can I get extra ketchup with that?**

どんな大きさがありますか?
○ **What sizes do you have?**

ケチャップなしで。
○ **No ketchup.**

玉ねぎは抜いて。
○ **Hold the onions.**
………＊Hold…で「～は抜きで」「～は入れないで」の意に。同意：No onions.

持ち帰りでお願いします。
○ **To go, please.**
………＊to go「持ち帰り」

ここで(食べますので)。
○ **For here, please.**
………同意：I'll be eating here.

お店で

飲み物を頼む

カプチーノをレギュラーサイズでください。
○ **I'll have a regular-sized cappuccino.**

今日のおすすめのコーヒーは何ですか?
○ **What's the coffee of the day?**

レモンなしでアイス・ティーをください。
○ **Iced tea, no lemon, please.**

レモネードのSサイズをください。
○ **I'd like a small lemonade.**

これ、頼んだものと違います。
○ **This isn't what I ordered.**

フレンチ・フライの大は1つじゃなくて、2つ頼んだんですけど。
○ **I asked for two large fries, not one.**

ハンバーガーが冷たいです。
○ **This hamburger is cold.**

中が生です。
○ **It's not cooked in the middle.**

頼んだミルク・シェイクはどうなったんです?
○ **Where's the milkshake I ordered?**

マヨネーズは抜きでって言ったのに。
○ **I said no mayo.**
········· ＊mayo = mayonnaise。発音は、マヨネーズではなく「メイヨネイズ」となる。

お店で

パン屋さんで

ドーナツを1ダースください。
○ **I'd like a dozen donuts, please.**

ドーナツを1箱ください。
○ **I'd like a box of donut holes.**

ジェリー（ジャム）入りのを1つください。
○ **Give me one of those jelly donuts.**

砂糖がけのを2つとエクレアを1つください。
○ **I'll have two of the glazed and an eclair.**
………＊glazed は「砂糖をからめた」「砂糖がかかった」。

その全粒粉のパンを1斤もらいます。
○ **I'd like that loaf of whole wheat bread.**
………＊a loaf of は「一斤の」「ひとかたまりの」。whole wheat は「全粒粉（小麦）」。

誕生日のケーキを注文したいんです。
○ **I want to order a birthday cake.**

名前を入れてほしいのですが。
○ **I'd like you to put a name on it.**

「ハッピーバースデー・愛」と入れてください。
○ **Please write, Happy birthday, Ai.**

来週の日曜日2時に受け取りに来たいのですが。
○ **I'd like to pick it up next Sunday at 2:00.**

どんなベーグルがありますか?
○ **What kinds of bagels do you have?**

レストランで

店に入る

4名でお願いします。
○ **A table for four, please.**
………＊table for 数字で「～名分の席」。

禁煙席を。
○ **Non smoking.**

予約してあります。
○ **I have a reservation.**

もう1人来ます。
○ **There'll be one more person joining us.**
………＊遅れて来る人がいることを伝える表現。

残りのメンバーが来るのを待ってるんです。
○ **I'm waiting for the rest of my party.**

コーヒーをお願いします。
○ **Coffee, please.**

カフェイン抜きのコーヒーをください。
○ **I'll have a decaf.**
………＊カフェインレスのことは英語でdecafといい「ディキャフ」と発音します。

コーヒーだけでいいです、どうも。
○ **Just coffee will be fine, thanks.**

まだメニューが来てないんですが。
○ **We haven't received our menus yet.**

もう少し時間をください。
○ **I'll need a few more minutes.**
………同意：Could you give us a little more time?

レストランで

オーダー

まだ注文するものを決めていません。
○ **We're not sure what we want yet.**

注文します。
○ **We're ready to order now.**

今日のスペシャルは何ですか?
○ **What are the specials today?**
……… *specials は「お店のおすすめ」など、その日のおすすめ料理。

どれがおすすめでしょうか?
○ **What do you recommend?**

今日の子羊は?
○ **How is the lamb today?**

ロンドン・ブロイルはサラダ付きですか?
○ **Does the London broil come with a salad?**

サーロイン・ステーキには何が付きますか?
○ **What does the sirloin steak come with?**

ワイン・リストを見せてもらえますか?
○ **May we see the wine list?**

シャルドネ、それにグラスを3つ。
○ **We'll have the Chardonnay, and three glasses.**

お店おすすめの赤(ワイン)をお願いします。
○ **I'd like a glass of the house red, please.**
……… *the house ~ 「店おすすめ」「自家製」の意。

レストランで

食事中

もう少しコーヒーをお願いできますか?
○ **Could we have some more coffee, please?**

パンのおかわりを(もうひとかご)ください。
○ **Another basket of bread, please.**
………＊レストランでは小さなカゴで出されることが多いのでbasketを使う。

バターをもう少し持って来ていただけますか?
○ **Could you bring us some more butter?**

肉が固くて切れないよ。
○ **This meat is impossible to cut.**

注文と違います。
○ **This is not what I ordered.**

ミディアム・レアって頼んだのに、これじゃ焼きすぎだ。
○ **I asked to have this cooked medium-rare, and it's overcooked.**

野菜が半生です。
○ **These vegetables haven't been cooked enough.**

トイレはどこですか?
○ **Where are the rest rooms?**

あの、女子用のお手洗いはどちらでしょう?
○ **Excuse me, which way to the ladies' room, please?**

便所どこ?
○ **Where's the john?**
………＊johnは「トイレ」を意味する、主に男性が使うスラング。

レストランで

食後

持ち帰り用の容器をいただけますか?
○ **Could we have a doggie bag?**
……＊doggie bagは、残ったものを持ち帰るための容器。

包んでいただけますか?
○ **Could you wrap this up, please?**

残りは持ち帰ります。
○ **We'd like to take the rest of this home.**

勘定書を持って来てくれますか?
○ **Waiter, could you bring our bill, please?**

お勘定は別々にお願いします。
○ **Separate checks, please.**

支払いはあなたでいいですか、それとも出る時レジの人に?
○ **Should I pay you or should I pay the cashier on the way out?**

カード払いできますか?
○ **Do you accept credit cards?**

領収書をお願いします。
○ **I'd like a receipt, please.**

お勘定はひとまとめでお願いします。
○ **Put everything on one bill, if you would.**

すみません、ちょっとこれ間違ってるんじゃないでしょうか。
○ **Excuse me, but this doesn't look right to me.**

レストランで

バーで

○ 生（ビール）はどんなものがある？
What do you have on tap?

○ どんなビールがありますか？
What kinds of beer have you got?

○ ワインはありますか？
Do you have any wine?

○ あまり強くないカクテルはどれですか？
Which one of these cocktails has the least alcohol?

○ おつまみは何がありますか？
Do you have anything to snack on?

○ ハイネケンにします。
I'll have a Heineken.

○ バドワイザーを瓶で。
Bring us a bottle of Bud, would ya?
·········＊BudはBudweiserの略。···, would ya?は男性がよく使うくだけた言い方。

○ 乾杯！
Bottoms up!
·········同意：Cheers!

○ われわれに乾杯！
Here's to us.
·········＊Here's to...で「〜に乾杯」。

○ （健康を祝して）乾杯。
Here's mud in your eye.

恋愛

デートに誘う

金曜の晩、空いてる?
○ **Are you free Friday evening?**

週末、忙しい?
○ **Are you busy this weekend?**

私、今晩暇なんだけど…。
○ **I'm free tonight.**

今夜やることないのよね。
○ **I'm not doing anything tonight.**

今週の日曜の予定は?
○ **What are you up to this Sunday?**
………＊be up to で「計画する」という意味。

一緒に出かけませんか?
○ **How about going out with me?**

晩メシでもどう?
○ **Would you like to go to dinner?**

一緒に夕飯はどうかと思って。
○ **I was wondering if you'd care to join me for dinner.**

今度、映画でも行かない?
○ **Would you like to go to a movie sometime?**

予定がないなら、一緒に映画でも行きましょう。
○ **If you don't have any plans, would you like to go to the movies with me?**

恋愛

告白

愛してます。
○ **I love you.**
………＊loveは本気の相手に使う愛情表現として使われる。

心から愛しています。
○ **I love you with all my heart.**

恋してしまいました。
○ **I'm falling in love with you.**

あなたに夢中です。
○ **I'm mad about you.**

こんなに愛したのは初めてです。
○ **I've never loved anyone this much before.**

ずっとあなたが好きでした。
○ **I've always loved you.**
………同意：I've liked you for a long time.

いつもあなただけを見ていました。
○ **I've always had my eye on you.**

付き合ってください。
○ **Would you be my boyfriend/girlfriend?**
………同意：Would you go with me?

付き合ってる人はいますか?
○ **Are you seeing anyone?**
………＊恋人がいるかどうかを聞く時の定番表現。

恋愛

プロポーズ

結婚してください。
○ **Would you marry me?**

僕のお嫁さんになってください。
○ **I want you to be my bride.**

ねえ、私と結婚しない?
○ **Why don't we get married?**

お嫁さんにして。
○ **Make me your wife.**

そろそろ式でも挙げようか。
○ **Let's have a wedding. Let's make it official.**

喜んで!
○ **Of course!**

ええ、ええ、もちろん!
○ **Yes, yes, yes.**

幸せにしてね。
○ **Please make me happy.**
  ………＊make someone happy「〜を幸せにする」

プロポーズをお受けします。
○ **I'd be happy to marry you.**

素敵な指輪だわ。ありがとう。
○ **It's a beautiful ring. Thank you.**

恋愛

大切な女性です。
○ **She's the love of my life.**

友達以上の存在です。
○ **She's more than just a friend.**

彼しかいないの。
○ **He's my one and only.**
………＊ one and only は「唯一無二の」という意味で、「かけがえのない人」。

私、恋しちゃったみたい。
○ **I think I'm in love.**

彼女にすっかり恋しちゃったよ。
○ **I'm head over heels in love with her.**
………＊ head over heels は「すっかり」という意味。すなわち、「ぞっこんだ」。

彼にくびったけ。
○ **I've fallen for him.**
………＊ fall for... 「〜に恋する」

彼のことばかり考えちゃう。
○ **I can't get him out of my mind.**

彼女のことしか考えられない。
○ **She's all I can think about.**

初めて見た瞬間に彼女に恋してしまった。
○ **The very first moment I saw her, I fell in love.**

スティーブンに夢中なの。
○ **I have a crush on Steven.**
………＊ crush on... 「〜を好きになる」

恋愛

別れ

浮気してるわね!
◯ **You're cheating on me!**
………＊cheatは「騙す」という意味で、恋愛においては「浮気」という意味で使われる。

昨晩どこに泊まったの?
◯ **Where did you sleep last night?**

あなたが浮気していることはわかってるんだから。
◯ **I know you're cheating on me.**

関係はいつから続いているの?
◯ **How long has this been going on?**

ひどい!
◯ **How dare you!**

もう離婚!
◯ **I want a divorce!**
………＊divorce「離婚」

あなたとはもうやっていけない。
◯ **I can't put up with this any longer.**

別々の道を歩こう。
◯ **I'm leaving you. I think we should go our separate ways.**

出て行くわ。
◯ **I'm going to move out.**

しばらく離れて暮らそう。
◯ **I think we need our space.**
………＊お互いに適度な空間が必要、つまり少し距離を置こうという意味。

Column9

アメリカでは時計を1時間進めて、日中の時間を延ばす風習があります。日本では「サマータイム」として知られていますが、これは実はイギリス英語で、アメリカでは「**Daylight Saving Time**」（**DST**）と呼ばれています。

Spring forward, fall back.（春は進めて、秋に戻す）と言いながら時計を直すのが、アメリカのひとつの風物詩になっています。期間は3月の第2日曜の午前2時〜11月の第1日曜日の午前2時までです。

アメリカ人は家族や友人との時間をとても大切にしますので、仕事をさっさと終わらせて帰る人がほとんど。会社の人と付き合いで飲んで帰る、なんてことはあまりありません。

そのため、「お先に失礼します」という日本語はなかなか英語にしづらい表現のひとつなんです。アメリカ人なら、普通に、

See you tomorrow.（また明日）
Take care.（じゃあね）
Don't push yourself too hard.（あまり無理するなよ）
Go home already.（早く家に帰りなよ）
Take it easy.（ほどほどにね）

などと言ってあっさり退社します。

Part7

ビジネス

上司・部下

上司と話す

すみません。
○ **Excuse me.**
………＊人の注意を引く時の定番表現。

ちょっとよろしいですか?
○ **May I have a word with you?**
………＊ have a word with... 「～と少し話す」

ちょっとお時間よろしいですか?
○ **Could I have a little bit of your time?**
………同意：Could you spare me a moment?

お忙しいところ恐縮ですが、
○ **I'm sorry to interrupt you, but...**
………同意：I know you're busy, but…

申し訳ありませんが、～していただけないでしょうか?
○ **I hate to trouble you, but could you...?**
………＊少し手数をかけてしまう時の言い方。

お話があります。
○ **I need to talk to you about something.**

ちょっとお話が。
○ **We have to talk.**
………＊少し深刻な報告や、こみ入った話をする時に。

ご相談があります。
○ **I need your advice.**

2人で話せますか?
○ **Could I have a word with you in private?**

ちょっと手伝っていただきたいのですが。
○ **Could you help me with something?**

上司・部下

部下と話す

ちょっといいかな?
○ **Can I have a second?**
………同意：Do you have a minute?「時間はとらせない」というニュアンス。

ちょっと来て。
○ **Could I talk to you for a minute?**

すぐに私の部屋に来るように。
○ **I need to see you in my office, right now.**

明日の朝9時に私の部屋に来るように。
○ **Meet me in my office at nine tomorrow.**

マイケル、ちょっと私の部屋に入って。
○ **Step into my office, Michael.**
………＊step into...「〜に入る」

よくやってるね。
○ **You're doing good work.**
………同意：You did a great job!/Good job!/Well done!

君の仕事ぶりはすばらしいよ。
○ **I'm impressed with your work.**

みんな君の努力に一目置いてるよ。
○ **People are noticing your efforts.**

君のおかげでプロジェクトは大成功だ!
○ **Thanks to you, the project was a big success.**
………＊Thanks to... で「〜のおかげで」と感謝の気持ちを伝える。

昇進おめでとう。
○ **Congratulations on your promotion.**
………＊congratulationsと複数にすることに注意。

上司・部下

指示する・指示を受ける

何があったのか説明してもらえる?
○ **Could you explain what's happening to me?**

プレゼンの準備を頼むよ。
○ **I need you to prepare a presentation.**

内訳を出してくれる?
○ **Could you give me a breakdown?**
……… *breakdownは「内訳」「明細」。

結果を報告して。
○ **Give me a report on the results.**

これに目を通しておいてね。
○ **Have a look at this.**

できるだけ早くこれをしてね。
○ **I need you to do this as soon as possible.**

前もって知らせてね。
○ **Let me know ahead of time.**

任せてください。大丈夫です。
○ **I can handle that.**
……… *handle「処理する」「なんとかする」

簡単ですよ。
○ **There's nothing to it.**
……… 同意:It's not so hard./It's like taking candy from a baby.

ずっとやってきましたので。
○ **Ive been doing this for a long time.**

上司・部下

言い訳

すみません。なにぶんにも初めてなもので…。
○ **I'm sorry, but this is all new to me.**

こんなにてこずったのは初めてです。
○ **I've never had this much trouble before.**

もうちょっと時間をください。
○ **I just need a little more time.**

いつもそうしてます。
○ **That's how we've always done it.**

ベストを尽くしてます。
○ **I'm doing the best I can.**

時間が足りなくて。
○ **There are only so many hours in a day.**
·········★やることがたくさんありすぎて時間がないことを表すフレーズ。

それは私の仕事ではありません。
○ **That's not what I was hired to do.**

できません。
○ **I can't do that.**

見た目ほど楽じゃないです。
○ **It's not half as easy as it looks.**
·········★ not half as ...as ~ で「~の半分も……じゃない」の意。

思った以上に難しいです。
○ **It's harder than you think.**

上司・部下

会議を始める

会議は明日の1時からです。
○ **The meeting is tomorrow at 1:00.**

みなさん会議室に集まってください。
○ **Would everyone please report to the meeting room.**

会議を始めましょう。
○ **Let's start the meeting.**

みなさん、席に着いてください。
○ **Everyone, please take your seat.**

今日は春のキャンペーンについて話したいと思います。
○ **Today I'd like to discuss our spring campaign.**

提案があります。
○ **I have a suggestion.**

アイデアがあります。
○ **I have an idea.**

心当たりがあります。
○ **I have something in mind.**

いいことを思いつきました。
○ **I've got an idea.**

ちょっと試してみたいことがあります。
○ **There's something I want to try.**

意見を言う

賛成する

賛成です。
○ **I agree.**

私も同じ意見です。
○ **I'm with you.**

いい案だと思います。
○ **I think that's a good idea.**

いいアイデアですね。
○ **I like that idea.**

面白いアイデアだ。
○ **That's an interesting idea.**

すばらしいアイデアだよ!
○ **What an outrageous idea!**
………＊wonderful idea や great idea などでも同じ。

悪くないよ。
○ **Not bad.**

なかなかいいアイデアだよ。
○ **That's not a bad idea at all.**

だいたい賛成です。
○ **I generally agree with you.**
………同意：I mostly agree with you.

正にその通り。
○ **You hit the nail on the head.**
………＊hit the nail「釘を打つ」。正に核心をついているというニュアンス。

意見を言う

反対する

賛成できません。
○ **I can't agree.**

ちょっとそれは賛成できませんねぇ。
○ **I'm afraid I can't agree with that.**

それは間違っていると思います。
○ **I think you're wrong.**

その意見には賛成できません。
○ **I don't agree with you.**

私の意見は違います。
○ **I have a different opinion.**
………＊発言者とは違った見解がある場合。

この件に関しては違った意見です。
○ **We disagree on this point.**

そんなリスクはとれません。
○ **We can't take that risk.**
………＊take riskは「リスクを負う」「危険な賭けをする」というニュアンス。

代案（あるいは反対案）があります。
○ **We'd like to offer a counterproposal.**

その計画には修正を加える必要があります。
○ **The plan needs some changes.**

その動議の見送りを提案します。
○ **I move to table the motion.**

意見を言う

意見を募る・まとめる

どうお考えですか?
○ **What do you think about this?**

あなたの意見は?
○ **What is your opinion?**
………同意：What is your opinion on this?

あなたの考えは?
○ **What are your thoughts?**

なにか提案はありますか?
○ **Any suggestions?**

この件でなにか提案はありますか?
○ **Any idea on this?**

具体的に言うと?
○ **Specifically?**

たとえば?
○ **Like what?**
………＊例をあげてほしい時に。

今日決まったことをまとめてみましょう。
○ **Let's summarize what we've decided today.**

それではそろそろ終わりにしましょう。
○ **Are we ready to wrap things up?**
………＊wrap upは、会議やプロジェクトなど取りかかっていることを「終わらせる」。

ほかに何もなければここで会議を終わりにしたいと思います。
○ **If there's nothing else, let's end here.**

ビジネスの電話

エクソダスです。
○ **ExoDus Corporation.**
………＊アメリカでは企業名だけを名乗るのが一般的。

デザイン課のエレン・ベイリーです。
○ **Design department, Ellen Bailey speaking.**

もしもし。エクソダスの販売部です
○ **Hello, ExoDus sales division.**

今日はどのようなご用件でしょう?
○ **What can I do for you today?**
………同意：How may I help you ?

お名前、よろしいですか?
○ **May I have your name, please?**

どちらさまでしょうか?
○ **Who's calling, please?**
………同意：May I ask who's calling?/Who shall I say is calling?

失礼ですが、どちらさまでしょうか?
○ **I'm sorry, may I ask your name?**

すみませんが、もう一度お名前をお聞きしてもいいですか?
○ **I'm sorry, may I ask who's calling again?**

失礼ですが、そちらさまは……。
○ **I'm sorry, and you're...?**

お名前のスペルを教えてください。
○ **Could you spell your name for me?**
………＊for meをつけることで「私のために恐縮ですが」というニュアンスに。

ビジネスの電話

内線を取り次ぐ

エクソダスです。どちらへおつなぎしましょう?
○ **ExoDus. How may I direct your call?**

どちらへおつなぎしましょう?
○ **Who would you like to speak to?**
········同意：Who do you want to talk with?

お待ちください。
○ **One moment, please.**
········同意：Please hold./Hold the line, please./Hang the line, please.

お待ちください。社内にいるか見てきます。
○ **Hold on a moment—I'll see if he's in.**
········＊be inで「社内にいる」という意味。

ただ今、他の電話に出ております。少々お待ちいただけますか?
○ **He's on another line. Can you hold for a moment?**

担当者におつなぎします。
○ **Let me transfer you to the person in charge.**
········＊Let me transfer you to...「〜へ転送します」

マイケルさん、高橋さんからお電話です。
○ **Michael, Mr. Takahashi is calling.**

ABC社の高橋さんからです。
○ **It's Mr. Takahashi from ABC.**

お待たせして申し訳ありませんでした。
○ **Sorry to have kept you waiting.**

お電話代わりました、鈴木です。
○ **Hello, this is Suzuki speaking.**

意見を言う

電話に出られない

あいにく鈴木は席を外しております。
○ **I'm afraid Mr. Suzuki is away from his desk.**

ただいま（彼は）外出しております。
○ **I'm afraid he's not in right now.**
……同意：I'm afraid he's out of the office right now.

あいにく、3:30まで外出しております。
○ **I'm afraid he'll be out until 3:30.**

2:30に戻る予定です。
○ **We expect him back at 2:30.**

あいにく鈴木は会議に出ております。
○ **I'm afraid that Suzuki-san is in a meeting right now.**

あいにくほかの電話に出ております。
○ **I'm afraid he's on another line.**

折り返しお電話させましょうか?
○ **May I have him call you back?**
……＊ have+(人)+(動詞) で「〜に〜させる」の意。

よろしければ、ご伝言を承ります。
○ **I can take a message, if you'd like.**

ご伝言はありますか?
○ **Would you like me to give him a message?**

必ず伝えます。
○ **I'll be sure to let him know.**
……同意：I'll make sure he gets the message.

クライアントと

アポを取る

一度お会いしたいのですが。
○ **I'd like to make an appointment to see you.**

近々お会いできませんでしょうか?
○ **I'd like to meet you within the next few days, if possible.**

ぜひ、お会いしてお話ししたいのですが。
○ **If at all possible, I'd like to meet with you soon.**

ご相談したいことがあります。
○ **There's something I'd like to discuss with you.**

お目にかかって、ご相談したいことがあります。
○ **I'd like to see you and talk to you about something.**

できるだけ早くお会いしたいのですが。
○ **I'd like to see you at your earliest possible convenience.**

直接お目にかかってお話ししたいです。
○ **I'd like to talk to you in person.**
………＊in personは「じかに」「直接会って」。

後ほどお伺いしてもよろしいでしょうか?
○ **Could I visit you later today?**

近いうちにお会いできますか?
○ **Could we meet sometime soon?**

月曜日が空いてるのですが、ご都合どうですか?
○ **I'm available on this Monday. How about you?**

クライアントと

時間を決める

いつがご都合よろしいでしょう?

○ **When would be convenient for you?**

………同意：What time would be convenient for you?

日時はそちらの都合に合わせます。

○ **Anytime convenient for you is fine.**

………＊convenient for...「〜にとって都合が良い」

明日の午後はいかがですか?

○ **How about tomorrow afternoon?**

明日の2時に私のオフィスでいかがですか?

○ **How about 2:00 tomorrow afternoon at my office?**

もしよろしければ、こちらから御社に伺いますので。

○ **I don't mind going there, if that's all right.**

………＊I don't mind...ingで「〜するのはかまわない」と申し出るときの表現。

わかりました。では3時にお待ちしております。

○ **All right. So, I'll be waiting for you at 3:00.**

受付で、企画部の伊藤を呼び出してください。

○ **Please ask for Ito in planning at reception.**

………＊ask for (人)で「〜を呼び出してもらう」という意味。

約束の日を変更していただけないでしょうか?

○ **Could we change the date of our appointment?**

………同意：Could we meet at another time?

約束の時間を1時間遅らせていただけないでしょうか?

○ **Could we meet about an hour later?**

………＊早めたいときはlaterをearlierにする。

お約束を来週に延期していただくことは可能ですか?

○ **Would it be possible to meet next week instead?**

………＊Would it be possible to...「〜することは可能ですか?」。

クライアントと

相手の会社で

ワトソンさんはいらっしゃいますか?
◯ **May I see Mr. Watson?**

5時にお約束しております高田ケンタです。
◯ **I'm Kenta Takada. I have an appointment at 5:00.**

ジョーンズさんと2時に約束してあります。
◯ **I have an appointment with Mr. Jones at 2:00.**

みなさんで召し上がってください。
◯ **Please share this with everyone.**

お口に合いますかどうか。
◯ **I hope you like it.**
………＊「気に入っていただけるといいのですが」が直訳。

つまらないものですが。
◯ **I picked up a little something for you.**
………＊little something (ちょっとしたもの)という表現を使う。

田中を紹介させてください。
◯ **I'd like to introduce Tanaka-san.**
………＊海外では社内の人を姓で呼び捨てにしない。

こちらは私どもの社長の山田宏です。
◯ **This is Hiroshi Yamada, our president.**

こちらは上司の田中真理です。
◯ **This is Mari Tanaka, my supervisor at work.**

ジョーンズさん、私どもの営業部長の田中を紹介します。
◯ **Mr. Jones, let me introduce you to Tanaka-san, our sales manager.**

クライアントと

引き上げる

それでは、そろそろ。
○ **Well, I'd better be going.**
………＊Well はつなぎの表現で「さてと」と帰りをにおわせる時に使う。

そろそろ失礼しなければ。
○ **I'd better be on my way.**

そろそろ帰らなくては。
○ **I think I'd better be going now.**

長居をしてしまってすみません。
○ **I really didn't mean to stay so long.**

長居をして、ご迷惑ではありませんでしたか?
○ **I hope I didn't overstay my welcome.**
………＊overstay one's welcome「長居をして迷惑をかける」

貴重な時間をいただきましてありがとうございました。
○ **Thank you for your valuable time.**

またよろしくお願いします。
○ **I'll see you again.**

ではまた次の会議で。
○ **See you on next meeting.**

何かあればご連絡ください。
○ **Please keep me updated.**
………＊keep someone updated「〜に常に最新の情報を入れる」。

本日はお招きいただきありがとうございます。
○ **Thanks for having us today.**

クライアントと

プレゼン

資料をご覧ください。
○ **Please look at this document.**
　　　……＊ document「資料」

こちらをご覧いただきたいのですが。
○ **I'd like you to look at this.**
　　　……同意：Please look at this.

こちらについて説明させてください。
○ **Let me tell you about this.**
　　　……同意：I'd like to explain this.

こちらが私どもの製品のカタログです。
○ **Here's our product catalog.**
　　　……＊ Here's...で「こちらが」と手元にあるものを見せる時に。

きっとご満足いただけることと思います。
○ **I'm sure you'll be more than satisfied.**

どうぞお手に取ってご覧ください。
○ **Please pick it up and have a look at it.**

この製品は最新の技術を取り入れています。
○ **This product uses the latest technology.**
　　　……＊ latest technology「最新技術」

こちらが当社のイチオシ商品です。
○ **This is our best product.**

試していただければ、良さがわかると思います。
○ **If you try it, I'm sure you'll realize how good it is.**

このお値段は今だけです。
○ **This price is available only now.**
　　　……This is a one-time price. ＊ one-time「今回限りの」

交渉する

値段交渉

これはお買い得ですよ。
○ **It's a buy.**
………＊このbuyは「買う」ではなく、「お買い得品」「割安の買い物」という意味の名詞。

支払い条件は?
○ **What are the payment terms?**

もう少し安くなりませんか?
○ **Could you lower the price just a little?**
………同意：Can you go just a little lower?

1万ドルでどうでしょう?
○ **What about $10,000?**

10％安くしてください。
○ **We need a 10 percent discount.**

8％でしたら値引きします。
○ **We can give you a discount of 8 percent.**

予算を越えています。
○ **That's over our budget.**
………＊はるかに越えてる、というときはoverをway overに。

これでは値段が合いません。
○ **We can't accept this price.**

これ以上は下げられません。
○ **That's our final offer.**
………＊final offerは「最終の提示価格」。

交渉する

商談を断る・保留にする

またの機会にさせていただきます。
○ **I'll have to pass this time.**

残念ですが、この条件ではお受けできません。
○ **I'm afraid we can't accept these terms.**

申し訳ありませんが、今回はなしということで。
○ **I'm afraid the answer is no this time.**

ご期待に添えそうもありません。
○ **It looks like things aren't going to work out.**
………＊It looks like…を文頭に付けて、言葉を濁す言い方。

いいお返事ができずに申し訳ありません。
○ **I'm sorry things didn't work out.**
………＊work outは「うまくいく」「いい結果になる」という意味。

上司に相談しておきます。
○ **I'll have to talk with my superiors.**

上司に相談して後でお返事いたします。
○ **I'll talk to my supervisor and give you an answer later.**

上司に相談しないと決められませんから。
○ **I can't make a decision without consulting my boss.**

一度持ち帰らせてください。
○ **Let me take this back and look over it.**

検討しておきます。
○ **I'll think about it.**
………同意：I'd like to sleep on it. ＊sleep onは「一晩寝かせる」。

交渉する

食い下がる・契約する

そこをなんとかお願いします。
○ **Please help me out.**

なんとかやってみてください。
○ **Please give it a try.**

契約書をお送りください。
○ **Could you send me the contract?**
·········* contact「契約書」

契約書の雛形ができました。
○ **We've finished drafting the contract.**
·········* draftは「ドラフトを作る」「雛形を作る」の意。

契約書の雛形ができましたので内容を確認してください。
○ **We've finished drafting the contract, so could you look it over?**

この契約は5年間有効です。
○ **This contract is valid for five years.**

契約書にサインしてください。
○ **Could you sign the contract?**

この内容でよろしければ契約書に捺印をお願いします。
○ **If everything is in order with the contract, we'd need to put our stamps on it.**

契約書に署名をして送り返してください。
○ **Please sign and return the contract.**

契約書に何行か付け加えたいことがあります。
○ **I'd like to add a few lines to the contract.**

注文する

在庫と納期を確認する

御社の製品を注文したいのですが。
○ **We'd like to place an order.**
………＊place an order「注文をする」

プリンターを20台注文したいのですが。
○ **We'd like to place an order for 20 printers.**

保証期間はありますか?
○ **Is there a warranty on this product?**
………＊warranty「保証期間」。

この製品の在庫はありますか?
○ **Do you have this product in stock?**
………＊in stock「在庫」。反対に「在庫切れ」はout of stock。

在庫はじゅうぶんありますか?
○ **Do you have enough stock?**

発送はいつごろになりますか?
○ **When can you ship it?**
………＊ship「出荷する」「発送する」

いつ到着しますか?
○ **When will it arrive?**

いつ入荷しますか?
○ **When will you get it?**

入荷の予定はありますか?
○ **Will you be getting more?**

注文を受ける

在庫と納期を確認する

毎度ありがとうございます。
○ **Thanks for your business.**

ただいま在庫を確認いたします。
○ **I'll check the inventory right now.**
………* check the inventory「在庫を調べる」

在庫はじゅうぶんございます。
○ **We have enough stock.**

あいにく品切れです。1ヶ月後に入荷します。
○ **I'm afraid we're out of stock. We'll be getting more in a month.**

入荷したらご連絡致しましょうか?
○ **Would you like me to give you a call when we get them in?**

明日発送いたします。
○ **We'll ship them tomorrow.**

明日11時に必ず届くように致します。
○ **We'll make sure they reach you by 11:00 AM tomorrow.**

今日発送いたします。
○ **We'll ship them out today.**

今日発送できます。
○ **We'll ship your order today.**

ご注文ありがとうございました。
○ **Thank you for your order.**

クレーム

苦情

注文した品が届きません。
○ **Our order hasn't arrived yet.**

先月注文した品がまだ届かないのですが。
○ **The order we placed last month hasn't arrived yet.**

注文とは違う製品が届いたのですが。
○ **We got the wrong item.**

数が足りません。
○ **We didn't receive our full order.**

壊れているものが混ざっています。
○ **Some of the items were broken.**

部品が足りません。
○ **Some of the parts were missing.**
………＊missingは「不足している」「欠落した」の意。

申し訳ございません。すぐにお調べいたします。
○ **I'm sorry. I'll look into it right away.**
………＊look intoは「〜を詳しく調べる」「原因を調べる」「調査する」の意。

すぐに担当の者に調べさせますので。
○ **I'll have the person in charge look into this right away.** ………＊person in charge「担当者」

手違いで別の製品を送ってしまいました。
○ **We mistakenly sent you the wrong product.**

ご迷惑をおかけして申し訳ありませんでした。
○ **Sorry for all the trouble.**

迎える

客を迎える

ご用件をお伺いします。
○ **May I help you?**
……… 同意：What can I do for you?/How can I help you?

お約束でしょうか?
○ **Do you have an appointment?**

お待ちしておりました。
○ **We have been waiting for you.**

お会いするのを楽しみにしてました。
○ **We've been looking forward to seeing you.**

このたびはご足労いただきまして。
○ **Thank you for coming today.**
……… ＊todayをall this wayにすると「遠くからわざわざ」という意味になる。

すぐにお呼びします。
○ **I'll have him come right away.**

ただいま連絡しますので、少々お待ちください。
○ **I'll contact him right now. Could you wait for just a minute?**

すぐに呼び出します。
○ **I'll let him know you're here.**
……… ＊let someone knowで「～に知らせる」。

お待たせして申し訳ありません。
○ **I'm sorry to keep you waiting.**

お待たせいたしました。
○ **Thank you for waiting.**

迎える

案内する・お茶を出す

どうぞこちらへ。
○ **Please follow me.**
………同意：This way, please.

お待たせいたしました。こちらへどうぞ。
○ **Thank you for waiting. This way, please.**

会議室へご案内いたします。
○ **Let me show you to the conference room.**
………＊show you to...「～へ案内する」

こちらでお待ちいただけますか?
○ **Could you wait here?**

もう間もなく山田がまいります。
○ **Mr. Yamada is on his way.**
………＊on one's wayで「～が向かっている」つまり「こちらへもうすぐ着く」。

コートをおあずかりします。
○ **Let me take your coat for you.**

よろしければお茶をどうぞ。
○ **Have some tea, if you'd like.**

ご遠慮なく。
○ **Please help yourself.**

冷めないうちにどうぞ。
○ **Please drink it while it's still warm.**

はい、どうぞ。
○ **Here you are.**
………＊人にものを渡すとき、差し出す時に使う。同意：This is for you./Go ahead.

見送る

別れる

ご丁寧にどうもありがとうございます。
○ **Thank you. That's very thoughtful.**

わざわざありがとうございます。
○ **You shouldn't have.**
………＊「することなかったのに」が直訳だが、「お気遣いありがとう」のニュアンス。

ご丁寧に。
○ **You're too kind.**

本日はお越しいただきありがとうございました。
○ **Thank you for coming today.**

本日はいろいろとありがとうございました。
○ **Thank you for everything today.**

お気をつけてお帰りください。
○ **Be careful on your way home.**
………＊相手が車なら、Drive safe.（運転、お気をつけて）などと言う。

ここで失礼いたします。
○ **I'll see you off here.**

わざわざお越しいただいてありがとうございました。
○ **Thank you for taking the time to come.**

お忙しいところをお越しいただいてありがとうございました。
○ **Thank you for taking time out of your busy schedule to come.**

みなさまによろしくお伝えくださいませ。
○ **Please give my regards to everyone.**

社員同士の会話

雑用を頼む

これをロンドンへ速達で出してほしいの。
○ **I need you to express this to London.**

この手紙を出しておいてくれる?
○ **Could you mail this?**

これを宅急便で送ってくれる?
○ **Could you send this by express delivery?**

これ、速達で出しといてもらえる?
○ **Send this by express, would you?**

明日の3時までに届くようにしてね。
○ **Make sure it arrives tomorrow by 3:00.**

必ず明日の朝一で送ってね。
○ **It needs to be delivered first thing tomorrow.**
………＊Make sure…で「必ず〜するようにしてください」と念を押す言い回しに。

大急ぎだから、バイク便で送ってね。
○ **I'm in a big hurry. Send it by bike.**

これをシュレッダーにかけてね。
○ **Put it in the shredder.**
………同意：Run it through the shredder.

コピーを3部作っておいてくれるかな。
○ **Could you make three copies?**

コピーを余分にとっておいてね。
○ **Make an extra copy.**
………＊extra「予備の」「余分の」

社員同士の会話

頼む・依頼する

お願いしていいかな?
○ **Could I ask you to do me a favor?**
………同意：I have a favor to ask./Could you do me a favor?

手、空いてる?
○ **Have you got time?**

新幹線の切符の手配をお願いします。
○ **I need you to get me a Shinkansen ticket.**

至急、飛行機の手配をお願いします。
○ **Could you arrange my plane tickets right away?**
………＊right awayは「至急」「すぐに」「早急に」の意。

タクシーを呼んでくれる?
○ **Could you call me a taxi?**

名刺を注文しておいてください。
○ **Could you order me some new name cards?**

名刺がなくなりそうだ。
○ **I'm almost out of name cards.**

お茶をお願いします。
○ **Could you serve tea to the guests?**

コーヒーをいれてくれる?
○ **Can I have a cup of coffee?**

お客さんにお茶をいれてくれないかな。
○ **Could you serve the clients some tea?**

社員同士の会話

後輩・部下に

いろいろ頼んですまないね。
○ **I'm sorry for giving you more work.**
………＊「もっと仕事を頼んでしまってすみません」が直訳。

手間をかけて申し訳ない。
○ **I'm sorry for bothering you.**
………＊botherは「手間をかける」「面倒をかける」。

迷惑をかけてしまってすまないね。
○ **I'm sorry for the trouble I've caused you.**

無理を言って悪かったね。
○ **Sorry for pushing you.**
………＊pushは「無理強いする」。

残業させてしまってすまない。
○ **Sorry for making you work overtime.**

遅くまでご苦労さま。
○ **Thanks for staying so late.**

ご苦労さま。
○ **You must be tired.**

ゆっくり休んで。
○ **You deserve a rest.**
………＊deserve「〜に値する」「〜を受けるにふさわしい」

今日は本当によくやってくれたね。
○ **You did a good job today.**

今日も本当によく働いてくれたね。
○ **You really worked hard today.**

社員同士の会話

新人を気にかける

仕事には慣れましたか?
○ **Are you getting used to your job?**

新しい仕事には慣れた?
○ **Are you settling into your new job?**

仕事はどう?
○ **How do you like your job?**

君なら大丈夫。
○ **I know you'll do well.**

この分野でのご経験はあまりないようですね。
○ **You don't have much experience in this field.**

(仕事の)ほとんどが初めてでしょう。
○ **A lot of this will be new to you.**

いろいろと学んでもらいます。
○ **You have a lot to learn.**

そのうち慣れますよ。
○ **You'll catch on.**
………＊catch on は「飲み込む」「会得する」。

困ったことがあったら言って。
○ **Let me know if you have any worries.**
………＊worries「心配ごと」「困りごと」

実際にやってみて覚えるしかないよ。
○ **Here you have to learn by doing.**

社員同士の会話

異動

名古屋へ転勤することになりました。
○ **I've been transferred to Nagoya.**
………＊transfer to ...「〜へ転勤する」

東京本社へ転勤することになりました。
○ **I'll start working at the Tokyo headquarters.**

ニューヨーク支社への異動が決まったよ。 .
○ **I've been assigned to work at the New York branch.**

伊藤さんが田舎の支店に飛ばされたって。
○ **Ito-san got sent to a branch in the boondocks.**
………＊boondocks は「田舎」「地方」を見下した表現。

広告部への配属を希望します。
○ **I'd like to work in the advertising department.**

企画部への配属が決まりました。
○ **I've been assigned to the planning department.**

このたび、人事部へ配属されることになりました。
○ **I'm glad to say that I've been assigned to HR.**
………＊HR= Human Resources

異動前は営業部におりました。
○ **Before coming here, I worked in sales.**

本社から異動してまいりました山田真理です。
○ **My name is Mari Yamada. Before coming here, I worked at headquarters.**

システム開発部から営業部に転属になりました。
○ **I was transferred here to sales from the system development.**

お金の話

経理関連

うちは20日が締め日です。
⊘ **We close our books on the 20th of each month.**
………＊このbookは「帳簿」のこと。

給料日は毎月25日です。
⊘ **Payday is on the 25th.**

給料は銀行振り込みです。
⊘ **Your paycheck is deposited into your bank account.**

昇給は年1回です。
⊘ **We get annual pay raises.**
………＊annualは「年に1回の」。

給与は年に1度の査定で決まります。
⊘ **Your salary is based on an annual performance evaluation.**

ボーナスは年2回支給されます。
⊘ **We get two bonuses a year.**

定期代は全額支給します。
⊘ **We pay for your train pass.**

どうぞ、給与明細です。
⊘ **Here's your pay stub.**
………＊pay stub「給与明細」

領収書をもらってください。
⊘ **Make sure you get a receipt.**

これは経費で落とせません。
⊘ **We can't write this off.**

お金の話

銀行関連

銀行で記帳してきてください。
○ **Could you go to the bank and get the bank book filled in?**

銀行へ振り込みに行ってきます。
○ **I'll go put this in the bank.**

銀行でお金を下ろしてきます。
○ **I'm going to the bank to make a withdrawal.**
.... * make a withdrawalは「お金を引き出す」。

今日、光熱費の引き落としがあります。
○ **My utilities are withdrawn today.**

今月は電気代が高かった。
○ **The electric bill was really high this month.**
.... * billは「請求書」「〜代」。「電話代」ならtelephone billとなる。

トランストラベルから請求書が届いています。
○ **I got a bill from Trance Travel.**

ABCに請求書を出してください。
○ **Could you send an invoice to ABC Industries?**

この請求書には間違いがあります。
○ **This invoice is wrong.**

請求書の金額が間違っています。
○ **The amount on the invoice is wrong.**

先月の振込み額に誤りがあるようです。
○ **It looks like there was a mistake with my last check.**

働き方

早退・欠勤

早退させてもらってもよろしいですか?
○ **Would it be all right if I left early?**
………同意：Would it be okay if I left early today?

今日、早退させてもらってもかまいませんか?
○ **Do you mind if I leave early today?**

身内に不幸がありまして。
○ **A relative passed away.**
………＊passed awayは「亡くなった」ことを表す婉曲表現。

明日、お休みをいただきたいのですが。
○ **I'd like to take tomorrow off.**

明日、休まなければならないんです。
○ **I need tomorrow off.**

休みを明日に変えてもらってもいいですか?
○ **Can I shift my vacation to tomorrow?**

明日、半休をいただいてもいいですか?
○ **Could I take a half-day off tomorrow?**
………＊take a half day off「半休を取る」

来月、一週間の休暇をいただきたいのですが。
○ **I'd like to take a week off next month.**

高野さんから電話で、風邪で寝込んでいるそうです。
○ **Takano-san called and said she's down with a cold.**

山田さんが病気でお休みするそうです。
○ **Mr. Yamada called in sick today.**

働き方

遅刻

電車が遅れまして。
○ **The trains were delayed.**

電車が遅れました。
○ **The trains were running late.**

目覚ましのアラームが聞こえませんでした。
○ **I didn't hear my alarm clock go off.**

ちょっと急用がありまして。
○ **Something came up.**

緊急な用ができたものですから。
○ **I had an emergency.**

急に用事ができてしまいまして。
○ **I have to take care of something in a hurry.**

事故で電車が止まったんです。
○ **There was an accident and the trains stopped running.**

人身事故で電車が止まったんです。
○ **Someone was killed on the tracks so the trains stopped.**

最近遅刻が多いですね。
○ **You've been late too many times.**

これ以上遅刻を甘く見るわけにはいかないよ。
○ **We can't tolerate lateness in the future.**

働き方

直行・直帰・残業

今日は直行します。
○ **I'm going straight to the client site.**

直帰させてもらってもよろしいでしょうか?
○ **Would it be all right if I went right home?**

できたら直帰したいのですが。
○ **I need to go right home, if that's okay.**

このまま直帰してもかまいませんか?
○ **Do you mind if I go home from here?**

今日は残業しないと。
○ **I have to overtime today.**

今日、残業してもらえるかな?
○ **Could you work overtime today?**

今夜は残業になりそうだ。
○ **I'll probably have to work overtime today.**

昨日は10時まで残業でした。
○ **I have to work until 10:00 yesterday.**

サービス残業にはもううんざりだ。
○ **I'm tired of working overtime for free.**
………＊「サービス残業する」は work overtime for free と表現。

今日は残業したくありません。
○ **I don't want to work overtime today.**

仕事の進行

納期

期限はいつまでですか?
○ **When is the due date?**
………同意：When's the deadline? * due date/deadline「締め切り」

期限通りに終わらせられそうですか?
○ **Does it look like you'll be able to finish by the deadline?**

期限通りに終わらせるのはとても無理です。
○ **It really won't be possible to finish by the deadline.**

予定通りにこの仕事を終わらせなければならない。
○ **We have to finish this project on time.**
………* on time「予定通りに」「時間通りに」

納期を延ばすことは可能でしょうか?
○ **Is it possible to put back the deadline?**
………同意：Would it be okay to change the deadline?

それがすぐに必要なんだ。
○ **I have to have it right now.**

今すぐに(持って来て)。
○ **Bring it right away.**
………同意：I need it yesterday.「昨日必要だ」つまり「すぐに持って来て」の意。

出来しだい持って来て。
○ **I need it as soon as you can get it to me.**

最優先でやってね。
○ **This is priority one.**

さあ、さっさとやるぞ。
○ **Let's get this show on the road.**

仕事の進行

進行状況を聞く

どんな具合?
○ **How's it going?**

すべて順調?
○ **Is everything going okay?**

予定通りに進んでるかな?
○ **Is everything on schedule?**
………＊on shedule「予定通りに」

新しいプロジェクトにはいつから取りかかれそう?
○ **About when can you start on the new project?**

遅れは取り戻せそう?
○ **Can you catch up with the schedule?**
………＊catch up with...「〜に追いつく」つまり遅れを取り戻すということ。

なにか進展は?
○ **Any progress?**

プレゼンの準備は進んでる?
○ **How's the presentation preparation going?**

お客さんの反応はどう?
○ **What's the reaction from the client?**

売り上げはどんな感じ?
○ **How are sales doing?**

新製品の売り上げはどうかな?
○ **How's the new product doing?**

仕事の進行

進捗状況を報告する

今のところ順調です。
○ **Everything's going well so far.**
……… 同意：So far so good. ＊so far「これまでのところ」

すべて予定通りです。
○ **Everything's going according to schedule.**

ご心配なく。
○ **Don't worry about it.**

すべてうまくいきますよ。
○ **Everything's going to be fine.**

着々と進んでいます。
○ **Slowly but surely.**

着実に前進しています。
○ **We're moving steadily ahead.**

前倒しで進んでいます。
○ **We're ahead of schedule.**

遅れは取り戻しました。
○ **We're back on schedule.**

もう少しで終わります。
○ **We're almost finished.**

最終確認をしています。
○ **I'm doing a final check.**
……… ＊final check「最終確認」

報告する

業績などの報告

売り上げは順調です。
○ **Sales are strong.**

売り上げは上がっています。
○ **Our sales figures are up.**

売り上げは伸びています。
○ **Sales are expanding.**

売り上げは横ばいです。
○ **Sales are flat.**

先月から売り上げが鈍っています。
○ **Sales were sluggish last month.**
………＊sluggish「鈍い」「停滞する」

売り上げが落ちています。
○ **Sales are down.**

横浜支社の売り上げが落ちています。
○ **Sales at the Yokohama branch are down.**

今月は赤字です。
○ **We're in the red this month.**
………＊in red「赤字になる」

なんとか赤字は抜け出せました。
○ **We are finally out of the red.**

この半期は黒字です。
○ **We're in the black this half.**

報告する

問題点

ひとつ、ちょっとした問題があります。
○ **There's been a little problem.**

少々問題がございまして。
○ **We have a slight problem.**
………＊slight「わずかな」「ちょっとした」

問題が発生しました。
○ **We've run into a problem.**

手違いがありました。
○ **There was a misunderstanding.**

どうやら手違いがあったようです。
○ **Seems like something went wrong.**

こちら側に手違いがありました。
○ **There was a misunderstanding on our part.**

めどは立っていません。
○ **There's still no light at the end of the tunnel.**
………＊「トンネルの先に光は見えない」が転じて「めどは立っていない」のニュアンス。

出費を半分に減らさなければ。
○ **We have to cut our expenses in half.**
………＊expense「経費」「出費」

経費削減を心がけるように。
○ **Try to cut expenses.**

経費の削減に取り組むように。
○ **I need you to work on cutting costs.**

採用について

質問する

求人広告を見てお電話しました。
○ **I'm calling in response to the help-wanted ad.**
………＊in response to…で「～に応えて」の意に。

まだ募集していますか?
○ **Is the position still open?**
………＊「ポジションにまだ空きはありますか?」が直訳。

履歴書をお送りしたいのですが。
○ **I'd like to send my resume.**

英語の履歴書が必要ですか?
○ **Would you like an English resume?**

面接はいつですか?
○ **When can I visit you for an interview?**
………＊interview「面接」

就業時間は何時から何時までですか?
○ **What are the hours?**
………＊hours＝「勤務時間」

給与について聞かせてください。
○ **I'd like to ask about the salary.**

有給休暇は年に何日ありますか?
○ **How many paid holidays are there a year?**
………＊「有給休暇」はpaid holidaysやpaid vacation。

残業は多いですか?
○ **Is there a lot of overtime?**

御社の業務にとても興味があります。
○ **I'm very interested in your business.**

採用について

求人側のフレーズ

面接にお越しいただき、ありがとうございます。
○ **Thank you for coming for the interview.**

職歴について簡潔に述べてください。
○ **Could you briefly summarize your work experience?**

大学での専攻は?
○ **What did you major in?**

収入はどれくらいをご希望ですか?
○ **How much were you hoping to earn?**

仕事のサンプルは持ってこられましたか?
○ **Did you bring samples of work you've done?**

前のお仕事をやめた理由は?
○ **Why did you leave your previous job?**

パソコンの操作は得意ですか?
○ **Are you good at operating computers?**
……＊ be good at…で「～が得意である」の意に。

いつから始められますか?
○ **When would you be able to start?**
……同意：When can you start working?

今週末には結果をご報告します。
○ **I'll report the results on the weekend.**

最初の3ヶ月間は試用期間とさせていただきます。
○ **The first three months is a probation period.**
……「試用期間」はprobation period、またはtrial period。

退社時のひとこと

仕事を終える

そろそろ切り上げよう。
○ **Let's call it a day.**
………＊call it a dayは「仕事を切り上げる」という意味。

今日はここまでにして帰ります。
○ **I'm going to call it a day.**

ここまでで終わりにしてください。
○ **Please finish up what you're doing and go home.**

さあ、もう帰ろう!
○ **Let's go home!**

今日はこれで帰らせていただきます。
○ **I think I'm going to go home.**

お疲れさまでした。
○ **See you tomorrow.**
………同意：I'll see you tomorrow./Have a good night.

さようなら。お先に。
○ **Take it easy.**
………＊誰かを残して帰る時によく使う表現。

お疲れさま。また来週。
○ **Have a nice weekend.**
………同意：See you on Monday.

ご苦労さま。
○ **Thanks for your help.**

ゆっくり休んで。
○ **Have a good evening.**

トラブル

異動、ハラスメント etc.

他の部署への異動を考えています。
○ **I'm thinking about transferring to a different department.**

正式な被害届を出したいのです。
○ **I want to file a formal complaint.**

上司に（性的に）迫られました。
○ **My boss has been making sexual advances.**

セクハラを受けました。
○ **I'm being sexually harassed.**

今回の人事は納得できません。
○ **I don't understand this personnel change.**
………同意：This change doesn't make sense.

加藤さん、田舎の支社にとばされるらしいよ。
○ **I heard Kato-san's going to be shipped to the remote branch.**

君はクビだ！
○ **You're fired!**
………同意：You're out of here!/Get your things and get out of here!

君には会社を離れてもらうことにした。
○ **We're going to have to let you go.**
………＊ let someone goは「〜を解雇する」という意味でfireよりはきつくない言い方。

会社の財政状態では、君を雇っておけないんだ。
○ **Because of our financial situation, we aren't able to keep you.**

君はこの会社と合わないようだ。
○ **I'm afraid we're not a good match.**
………＊ good match「良い相性」

IT関連

パソコン・プリンター

パソコンはウィンドウズですか?
○ **Do you have Windows?**

マック派です。
○ **I use a Mac.**

パソコンの調子が悪いのですが。
○ **My PC isn't working right.**
·········* PC = personal computer

お持ちのパソコンにこのソフトはインストールしてありますか?
○ **Do you have this software installed in your computer?**

インストールできませんでした。
○ **I couldn't install it.**

フリーズしました。
○ **My computer froze.**

バックアップを取るのを忘れないで。
○ **Don't forget to back-up your computer.**

プリンターのインクが切れています。
○ **The printer is out of ink.**

プリンターが紙づまりしています。
○ **The printer's jammed.**
·········* jamはスラングで「紙づまり」の意。

この書類をプリントアウトしてください。
○ **Could you print out this file?**

インターネット

ホームページ etc.

ホームページはありますか?

○ **Do you have a website?**

………同意：Do you have a URL? ★「ホームページ」では伝わらないので注意。

ホームページのアドレスを教えてください。

○ **What's your website URL?**

弊社のホームページをご覧ください。

○ **Please have a look at our website.**

ネットで検索してみます。

○ **I'll check on the Internet.**

ログインしています。

○ **I'm logging in now.**

1ヶ月のアクセス数は?

○ **How many hits do you get a month?**

ドメインを取得しなければ。

○ **I need to buy a domain name.**

ネットサーフィンをしていて見つけました。

○ **I found it while I was surfing.**

今はネットにつなげられません。

○ **I don't have access to the Internet right now.**

ネットオークションで購入しました。

○ **I bought this from an Internet auction.**

インターネット

メール

メールが届きました。
○ **I got the mail.**

メールが今届きました。
○ **Your message just arrived.**

メールのチェックをしてください。
○ **Could you check your mail?**

メールでお送りします。
○ **I'll e-mail it.**

ファイルが開けません。
○ **I can't open this file.**

ファイルはどの形式で送りましたか?
○ **What format did you use?**

添付ファイルをご覧ください。
○ **Could you look at the attached file?**
………＊attached「添付されている」

メールアドレスを教えてください。
○ **Can I have your e-mail address?**

メールが文字化けしていて読めません。
○ **Your e-mail was garbled.**
………＊garbled「(メールなどが)文字化けする」

ファイルを圧縮します。
○ **I'll compress the file.**

Part8

SNS

あいさつ

最初のやりとり

お元気でしたか？
○ **How have you been?**

（SNSの）仲間に入れてください。
○ **Thanks for adding me.**
········ ＊SNSの友達登録などすることをaddingという。

ツヨシからメルアドを聞きました。
○ **I got your email address from Tsuyoshi.**

これからもよろしくね。
○ **Let's keep in touch.**
········ ＊keep in touchで「連絡を取り続けよう」。

こんな時間にすみません。
○ **Sorry to message you at a time like this.**

スケジュールを確認してから連絡します。
○ **Let me check my schedule and get back to you.**
········ ＊get back to youで「お返事します」の意。

その件で折り返しさせてください。
○ **Let me get back to you about that.**

どうしたの？
○ **What's the matter?**
········ 同意：What's wrong?

またお目にかかるの楽しみにしてます。
○ **I'm looking forward to seeing you again.**

またね。
○ **See you soon.**

あいさつ

最初のやりとり

またね。
◯ **Maybe next time.**

何時に会おうか？
◯ **What time and where should we meet?**

久々だね。
◯ **It's been a while.**

仕事はどう？
◯ **How's work these days?**

仕事中にごめんね。
◯ **I'm sorry for bothering you at work.**

会いたいね。
◯ **I'd like to talk to you in person.**
　………＊in personはネット上だけではなく、「対面で」という意味。

先日はご迷惑おかけしました。
◯ **I'm sorry for causing trouble last time.**

先日はどうもね。
◯ **Thanks for the other day.**

マイクによろしくね。
◯ **Say hi to Mike for me.**
　………＊say hi to ... for me「〜によろしく伝えてね」。その場にいない人へのあいさつ。

近いうち遊ぼう！
◯ **Let's hang out sometime soon!**
　………＊hang outで「つるむ」「遊ぶ」

ネット用語

SNSによく出てくる言葉

ウィルスメール
- **virus infected email**

ソロ充
- **happy single**

チラ見
- **glance**

ポチる
- **online shopping**

マジレス
- **serious reply**

リア充
- **keeping it real**

違法ダウンロード
- **illegal download**

炎上
- **flame war**

ネット略語

短縮形あれこれ

なる早で。
○ **ASAP (as soon as possible)**

ひゃ〜!
○ **Aww (Oh....)**
………＊Awwwwなどとwを増やすことも。かわいいものなどを見た時に。

だから
○ **B/C (Because)**
………＊CUZとも表記する

前に
○ **B4 (Before)**

あとでね。
○ **BBL (Be back later)**

彼氏
○ **BF (Boyfriend)**
………＊彼女はGF

親友
○ **BFF (Best friend forever)**

すぐ戻るね。
○ **BRB (Be right back)**

ところで
○ **BTW (By the way)**

ネット略語

短縮形あれこれ

チェックして。
○ **CHK (Check)**

じゃあね。
○ **CU (See you)**

自分でやる
○ **DIY (Do it yourself)**

今、手が離せない。
○ **DND (Do not disturb)**
………＊邪魔するな、が直訳

わからない。
○ **DUNNO (I don't know)**

簡単
○ **EZ (Easy)**

よくある質問
○ **FAQ (Frequently asked questions)**

直接会う
○ **F2F (Face to face)**

友達の友達
○ **FOF (Friend of friend)**

終わった。
○ **FML (Fuck my life)**

ネット略語

短縮形あれこれ

じゃ、これで。
○ **GTG (Got to go)**

わかった。了解。
○ **IC (I see)**

わからない。知らない。
○ **IDOK (I don't know)**

現実世界では
○ **IRL (In real life)**
⋯⋯⋯＊ネット世界に対して、現実世界の話をする時に。

冗談だよ。
○ **JK (Just kidding)**

了解。
○ **k (Okay)**

爆笑
○ **LMAO (Laughing my ass off)**

（笑）、ウケる
○ **LOL (Laughing out loud)**

気にしないで。
○ **NVM (Never mind)**
⋯⋯⋯＊ドンマイ「気にするな」は、英語では Never mind. と言う。

ああ、なるほどね。
○ **OIC (Oh I see)**

Column10

✎ スタッフを呼ぶ時

アメリカのレストランなどでは、チップなどの関係もあり、それぞれのテーブルに担当のスタッフがつきます。

なので、何かを頼む時はなるべく担当のスタッフを呼ぶようにしましょう。

呼ぶ時、日本では「すみません〜！」と手をあげますが、アメリカでは大きな声を出すのはマナー違反。まずはアイコンタクトで担当の方を探し、目が合ったら胸のあたりで小さく手を挙げます。

そして小さめの声で

Excuse me.

などと言えば来てくれずはずです。

基本的に自分の担当のテーブルは気にして見ているので、気づいてくれるでしょう。

Part9

旅先で

海外旅行

チケットの手配

ボストンまで、ファースト・クラスで。
○ **I need a seat to Boston, first-class.**

ラスベガス行きの便はありますか?
○ **Is there a flight to Las Vegas?**

次のロンドン行きは何時ですか?
○ **When's the next flight to London?**

ニューヨークまでの搭乗券をください。
○ **I'd like a ticket to New York, please.**
………＊I'd like…で「〜をください」「〜をお願いします」と丁寧に希望を伝える表現に。

窓側の席でお願いします。
○ **I'd like a window seat, please.**
………同意：Window, please.

通路側の席でお願いします。
○ **I'd like an aisle seat, please.**
………同意：Aisle, please.

席は空いてますか?
○ **Are there any seats?**

ビジネスクラスの往復だといくらになりますか?
○ **How much for a round-trip business ticket?**
………＊「往復切符」はround-trip。イギリス英語ではreturn ticketが一般的。

予約を変更したいのですが。
○ **I'd like to change my reservation.**

予約は取り消せますか?
○ **Can I cancel my flight?**

海外旅行

乗り継ぎ

乗り継ぎの時間はありますか?
○ **Will I have time to make my connecting flight?**

乗り継ぎ便に、乗り遅れてしまいました。
○ **I missed my connecting flight.**
……同意:I didn't make my connecting flight.

ほかの便に変更できますか?
○ **Can I get on another flight?**

次の便は何時出発ですか?
○ **When does the next flight leave?**
……同意:When's the next flight?

次の便に乗れますか?
○ **Can I get on the next flight?**

キャンセル待ちは可能でしょうか?
○ **Can I go/get standby?**
……＊standbyは「キャンセル待ち」。

その便は定刻通りですか?
○ **Is the flight on schedule?**

その便は予定時間通りに着きますか?
○ **Will the flight be arriving on time?**
……＊on time は「定刻通りに」「スケジュール通りに」。

到着時間は?
○ **What time will the plane arrive?**
……同意:What's the arrival time? ＊出発時間はdeparture time

フライト

機内

私の座席はどこですか?
○ **Could you tell me where my seat is?**

荷物を上げてもらえますか?
○ **Could you put my luggage in the shelf?**

到着は予定通りですか?
○ **Are we going to arrive on schedule?**

ブランケットをもう一枚ください。
○ **Could I have another blanket, please?**
………同意：Another blanket, please.

日本語の新聞はありますか?
○ **Do you have a Japanese newspaper?**
………＊雑誌なら magazines

どんな飲みものがありますか?
○ **What kinds of drinks do you have?**
………同意：What drinks do you have?

牛肉料理をお願いします。
○ **I'll have the beef, please.**
………同意：Beef, please.

食事のときには起こしてください。
○ **Could you wake me up when dinner is being served, please?**

あちらの席に移ってもいいですか?
○ **Could I move to that seat over there?**

トイレはどこですか?
○ **Where's the lavatory?**
………＊飛行機のトイレは lavatory と呼ぶのがふつう。

フライト

機内トラブル

すみません。そこは私の席だと思います。
○ **Excuse me, I think that's my seat.**

荷物を入れる場所がないのですが。
○ **I can't find any place to put my things.**
………＊my things は自分の持ち物のこと。

乗物酔いの薬はありますか?
○ **Do you have anything for airsickness?**

乗り物酔いをしてしまいました。薬はありますか?
○ **I'm airsick. Do you have any medicine?**
………＊airsick は「飛行機による乗り物酔い」のこと。

乗物酔いに効くものありますか?
○ **Anything for airsickness?**

このイヤホン、壊れているようですが。
○ **These headphones don't seem to be working.**
………同意：Something's wrong with these headphones.

これ、使えません。
○ **This doesn't work.**
………＊機器などが壊れていて、実物を見せながら伝えるときの表現。

映画を観たいのですが、使い方がわかりません。
○ **I want to watch a movie, but I don't know how to use the player.**

魚をお願いしたのですが、これは鶏料理です。
○ **I asked for fish, but this seems to be chicken.**

寒いんですけど。
○ **Excuse me, but I'm a little cold.**

フライト

空港

はい、これです。
○ **Here you are.**
………＊入国審査でパスポートを手渡す時。

観光目的です。
○ **I'm going sightseeing.**
………＊商用ならI'm here on business.

1週間の滞在予定です。
○ **I'll be here for a week.**

ハワイに来るのは初めてです。
○ **This is my first visit to Hawaii.**

乗り継ぎをするだけです。
○ **I'm just changing planes.**

シカゴホテルに泊まる予定です。
○ **I'll be staying at the Chicago Hotel.**
………＊stay at…で「～に泊まる、滞在する」という意味。

両替所はどこですか?
○ **Where will I find a currency exchange window?**
………＊currencyは「通貨」の意。「両替」はcurrency exchange。

ドルに両替したいのですが。
○ **I'd like to buy dollars.**

1ドル札を何枚か混ぜてくれますか?
○ **Could you give me a few one-dollar bills?**

小銭も混ぜてもらえますか?
○ **Can I also have some change, please?**
………＊change「小銭」

フライト

手荷物受取所にて

私のバッグがまだ出てきません。
○ **My bags haven't come out yet.**

私の荷物はどうなったんでしょう?
○ **What happened to my luggage?**

私の荷物が破損しています。
○ **My luggage has been damaged.**

買ったばかりのスーツケースにひどい傷がつきました。
○ **My brand new suitcase has a huge scratch on it.**
………＊brand new「買ったばかりの、下ろしたての」

1時間も待っていますが、荷物がさっぱり出てきません。
○ **I've waited for an hour, and there's no sign of my bags.**

私の荷物がどこにあるのか調べてください。
○ **Can you check to see where my luggage is?**

これが手荷物預かり証です。
○ **Here's my claim tag.**
………＊claim tag「手荷物預かり証」

荷物が届いたら、ホテルに届けてください。
○ **When my bags come bring them to my hotel right away.**

ここが私のホテルです。
○ **This is my hotel.**
………同意：This is where I'll be staying.

いつ頃連絡をもらえるでしょうか?
○ **When do you think you'll contact me?**
………同意：By when will you call me?

電車

乗車するまで

切符売り場はどこですか?
◯ **Where's the ticket counter?**

ラスベガスまでいくらですか?
◯ **How much is it to Las Vegas?**

ロサンゼルスまで普通車で大人1枚。
◯ **I'd like a one-way economy-class ticket to Los Angeles, please.**

次のシカゴ行きは何時ですか?
◯ **When does the next train leave for Chicago?**
………＊ leave for…は「〜へ向けて出発する」の意。

ニューヨークへ行くには乗り換えが必要ですか?
◯ **Do I have to change trains on the way to New York?**

ロサンゼルスまで一番早く行ける電車はどれですか?
◯ **Which is the fastest train to Los Angeles?**

何番ホームへ行けばいいのですか?
◯ **What platform should I go to?**

途中で乗り換えが必要ですか?
◯ **Do I have to change trains?**
………＊ change trains「乗り換え」

時間はどれくらいかかりますか?
◯ **How long will the trip take?**

何時に到着しますか?
◯ **What time will we arrive?**

電車

乗車してから

ここ、空いてますか?
○ **Is this seat open?**

ここ、座っていいですか?
○ **Do you mind if I sit here?**
………＊「〜してもかまいませんか?」と許可を求める表現。

次の停車駅はどこですか?
○ **What's the next stop?**
………＊停車駅は stop と表す。

ここで降りるのでしょうか?
○ **Should I get off here?**
………＊get off「降りる」

停車駅はあといくつぐらいですか?
○ **How many more stops are left?**

セントルイス駅にはまだついていませんよね?
○ **We haven't reached St. Louis station yet, have we?**

乗り越してしまったみたいです。
○ **It looks like I missed my stop.**

列車に忘れ物をしてしまいました。
○ **I left something on the train.**
………＊この leave は「置き忘れる」という意味。

すみません、通して下さい。
○ **Excuse me, I'd like to get through, please.**

切符をなくしたみたいです。
○ **It looks like I lost my ticket.**

公共の乗り物

バス・地下鉄

バス乗り場はどこですか?

○ **Where's the bus stop?**

このバスはショッピングセンターで停車しますか?

○ **Does this bus stop at the shopping center?**

そこについたら教えていただけますか?

○ **Could you tell me when we get there, please?**

9番通りまでいくらですか?

○ **How much is it to 9th Street?**

5歳の子どもはいくらですか?

○ **How much for a 5-year-old?**
········ * How much for…? は「〜の料金はいくらですか?」。

最終のバスは何時ですか?

○ **What time does the last bus leave?**

一番近い地下鉄の入り口はどこですか?

○ **Where's the nearest subway entrance?**

これはダウンタウン行きの路線ですか?

○ **Is this the line that goes downtown?**

どこで乗り換えればいいのでしょう?

○ **Where should I change trains?**

この電車は各駅停車ですか?

○ **Is this a local train?**
········ * 急行は express train。

公共の乗り物

長距離バス

乗るのに予約は必要ですか?
○ **Do I need to reserve a seat?**
⋯⋯⋯同意：Do I need reservations?

どこかで食事を摂るために停車しますか?
○ **Will we be stopping to eat at some point?**

乗り換えはなしですか?
○ **Is it direct?**

途中、乗り継ぎがありますか?
○ **Do I need to change buses?**

席の予約はできますか?
○ **Would it be possible to reserve a seat?**
⋯⋯⋯＊Would it be possible to…?とすると「もしできるなら」というニュアンスに。

次のバスに空席はありますか?
○ **Are there any seats left on the next bus?**
⋯⋯⋯同意：Any seats on the next bus?

バスは予定通りの出発ですか?
○ **Will the bus leave on schedule?**

荷物はどこに置けばいいでしょう?
○ **Where can I put my bags?**

マイアミまでどのくらい時間がかかりますか?
○ **About how long will it take to get to Miami?**

バスの中にトイレはありますか?
○ **Is there a bathroom on the bus?**

公共の乗り物

タクシー

タクシーはどこで拾えますか?
○ **Where can I get a taxi?**
………＊taxi は cab とも言う。

空港までお願いします。
○ **Take me to the airport, please.**
………＊Take me to...「～までお願いします」同意：The airport, please.

空港までいくらで行きますか?
○ **How much would it be to go to the airport?**

この住所までお願いします。
○ **Take me to this address.**

ここまでお願いします。
○ **I need to go here.**

3番通りとベルモント通りの角までお願いします。
○ **Corner of 3rd and Belmont, please.**

クラウンホテルまでお願いします。
○ **Take me to the Crown Hotel, please.**

プラザホテルまで。
○ **The Plaza Hotel, please.**

高速(道)を使ってください。
○ **Please take the freeway.**
………＊飛行機の時間などが差し迫り、急いで欲しい時に。

公共の乗り物

リクエストする

荷物を運ぶのを手伝っていただけますか?
○ **Could you help me with my bags, please?**

トランクを開けて下さい。
○ **Please open the trunk.**

少し寒いです。
○ **It's a little cold in here.**

暖房を入れてくれませんか?
○ **Could you turn on the heater?**

窓を閉めてくれますか?
○ **Could you roll up that window, please?**

車内は禁煙ですか?
○ **Is this a non-smoking cab?**

エアコンを消していただけますか?
○ **Could you turn down the air conditioner, please?**

ここで降ろしてください。
○ **This will be okay.**

ここでいいです。ありがとう。
○ **This'll be fine, thank you.**

ちょっとここで待っていてください。
○ **Please wait here.**
⋯⋯⋯★立ち寄りなどでいったんタクシーを降りたい時の言い方。

車

レンタカー

車を借りたいのですが。
○ **I'd like to rent a car.**

予約をした宮本です。
○ **I have a reservation. My name is Miyamoto.**

どんな車種がありますか?
○ **What models do you have?**

1日いくらですか?
○ **What's the fare for one day?**
………*fare「料金」 同意：How much does it cost per day?

小型車をお願いします。
○ **I'd like a compact car.**
………*他にも、オープンカー convertible, ワゴン station wagon など。

空港で乗り捨てはできますか?
○ **Can I drop the car off at the airport?**

保険は全部かけます。
○ **I'd like full coverage, please.**
………*full coverage「全て保障する保険」

ガソリンは満タンにして返すのですか?
○ **Do I need to fill up the tank when I return the car?**

車を見せてください。
○ **Can I look at the car?**

緊急時の連絡先を教えて下さい。
○ **What's the number to call in case of an emergency?**

車

ガソリンスタンド

レギュラーを20ドル分ください。
○ **I'd like twenty-dollars worth of regular.**
………＊ハイオクは premium、レギュラーは regular、軽油は diesel。

レギュラーを20ドル分入れてください。
○ **Put in $20 worth of regular, please.**

レギュラーを10ドル分入れて。
○ **Give me ten bucks worth of regular.**
………＊bucks = dollars　くだけた言い方。

レギュラー、満タンで。
○ **Fill it up with regular, would you?**

10ドル分入れて。
○ **Ten, please.**

いくらですか?
○ **How much?**

ガソリンの入れ方を教えて下さい。
○ **Can you show me how to put gas in, please?**

ガソリンはどうやって入れるの?
○ **How do you put gas in this?**

トイレに行きたいので、カギをください。
○ **I have to use the bathroom. Where's the key?**

自動販売機は中ですか?
○ **You got a soda machine inside?**
………＊「自動販売機」は soda machine または vending machine。

車

車のトラブル

車が故障してしまったみたいなんですが。
○ **Something's wrong with the car.**
………＊something's wrong with... 「〜の調子がおかしい」

車が動かなくなりました。
○ **My car just died.**

どうやら車の故障のようです。
○ **We're having some car trouble.**

オイル・フィルターの交換が必要かも。
○ **I think I need a new oil filter.**

エンジンがノックしてるんです。
○ **The engine's been knocking.**

エンジンからヘンな音がします。
○ **The engine sounds strange.**

バッテリーがいかれました。
○ **My battery's dead.**

（バッテリーがあがったので）ジャンプ・スタートしてくれますか?
○ **Can you give me a jump?**

ガス欠です。
○ **I ran out of gas.**
………＊run out of…で「〜を切らす」という意味に。

車

道路でのトラブル

タンクが空っぽです。
⊘ **The tank's empty.**

スタンドまで行きたいので、ガソリンを少し分けてくれますか?
⊘ **Can you spare a gallon of gas to get me to a station?**

パンクしました。
⊘ **I've got a flat.**
………∗「パンク」は和製英語。get/have a flat tireで「タイヤがパンクした」の意。

左の前輪がパンクしました。
⊘ **My left front tire blew.**
………∗blewはblow(タイヤがパンクする)の過去形。

空気を入れてくれますか?
⊘ **Can you put some air in the tires?**

どこがおかしいのでしょうか?
⊘ **Do you know what the problem is?**

あれこれやってみたのですが、まったくエンジンがかかりません。
⊘ **I've tried everything, but it just won't start.**

直すのにどれくらいかかりますか?
⊘ **How long will it take to fix?**

いくらくらいになりますか?
⊘ **How much will it cost?**

ホテルで

チェックイン

チェックインをお願いします。
○ **I'd like to check in.**
········同意：Check in, please.

もうチェックインできますか?
○ **Can I check in now?**

スズキで予約を入れています。
○ **I reserved a single room under the name Suzuki.**

シングルルームで3泊の予約をしてあります。
○ **I have a single room reserved for three nights.**
········＊「～泊」はnightで表す。

予約をしていないのですが、部屋は空いていますか?
○ **I don't have a reservation. Are there any rooms available?**

宿泊料金はいくらですか?
○ **What are the rates?**

荷物を部屋に運んで下さい。
○ **Please take my bags up to my room.**

荷物は自分で運びます。
○ **I'll carry my own bags.**

チェックアウトは何時ですか?
○ **What time do I have to check out?**
········同意：When's check-out?

ホテルで

部屋をリクエストする

シングルはありますか?
○ **Do you have a single room available?**

あれば、喫煙できる部屋がいいのですが。
○ **I'd prefer a smoking room, if possible.**
………＊I'd prefer...「〜を好む」つまり「〜がいいです」と希望を伝える時のフレーズ。

その部屋は禁煙ですか?
○ **Is it a non-smoking room?**

もう少し安い部屋はありますか?
○ **Do you have a less expensive room?**
………同意：Are there any lower-priced rooms?

もう少し広い部屋はありますか?
○ **Do you have anything a little bigger?**

その部屋にします。
○ **I'll take that room.**
………同意：That room will be fine. ＊...will be fine「〜で結構です」

最上階の部屋をお願いします。
○ **I'd like a room on the top floor.**

オーシャンビューのツインの部屋にしてください。
○ **We'd like a double room with an ocean view.**

部屋を見てもいいですか?
○ **Can I see the room?**

ホテルで

ホテルの施設

部屋にセーフティボックスはありますか?
○ **Is there a safe in my room?**

部屋からネットにつなげますか?
○ **Does the room have an Internet connection?**

製氷機はどこにありますか?
○ **Where's the ice machine?**

自動販売機はありますか?
○ **Are there vending machines available?**

ジムはありますか?
○ **Is there a gym?**

スイミングプールは何時に開きますか?
○ **What time does the swimming pool open?**
………＊何時に閉まりますか? ならcloseに。

ルームサービスをお願いします。
○ **Room service, please.**

ルームサービスはまだ注文できますか?
○ **Is it too late to order room service?**

モーニングコールをお願いします。
○ **Wake-up call, please.**
………＊アメリカではモーニングコールは wake up callと言う。

朝食の場所はどこですか?
○ **Where's breakfast served?**

ホテルで

トラブル

部屋が掃除してありません。
○ **The room hasn't been cleaned.**

お湯が出ません。
○ **There's no hot water.**

トイレがつまりました。
○ **The toilet's clogged.**
·········*clog（パイプやトイレなどが）つまる

テレビがつきません。
○ **The TV won't come on.**

エアコンの調子がおかしいのですが。
○ **There's something wrong with the air conditioner.**

となりの部屋がうるさいのですが。
○ **The people in the next room are really noisy.**

部屋を替えてください。
○ **We'd like to change rooms.**

オーシャンビューの部屋を予約したのに、海が見えません。
○ **We reserved an ocean-view room, and obviously we haven't gotten one.**

景色のいい部屋を頼んだはずですが。
○ **We asked for a room with a view.**

部屋から閉め出されてしまいました。
○ **I'm locked out of my room.**
·········*lock outで「鍵を持たずに部屋を出てオートロックで締め出された」を表す。

ホテルで

チェックアウト

チェックアウトをお願いします。
○ **I'd like to checkout.**

もう1泊延長したいのですが。
○ **Would it be possible to keep the room for another night?**

誰か荷物を運んでくれる方をお願いできますか?
○ **Could you send someone up for my luggage?**

タクシーを呼んでください。
○ **Hail a cab for me, would you?**
　　　　＊hailはタクシーなどを「呼び止める」「拾う」という意味。

空港へのシャトルバスはありますか?
○ **Do you have a shuttle bus service to the airport?**
　　　　同意：Is there a shuttle bus to the airport?

このカードは使えますか?
○ **Do you accept this card?**

これは何の料金ですか?
○ **What is this charge for?**

ミニバーは使っていません。
○ **I didn't use the mini bar.**

国際電話はかけていません。
○ **I didn't make any international calls.**
　　　　＊make an international call「国際電話をかける」

ショッピング

売り場で

案内図はどこでしょうか?
○ **Where can I find a store directory?**
………★store directoryは「売り場案内」

家具はありますか?
○ **Do you carry furniture?**
………★ここでのcarryは「運ぶ」ではなく「扱う」という意味。

妻へのプレゼントを探しています。
○ **I'm looking for a gift for my wife.**

どちらもいいですね。
○ **I like them both.**

どちらがいいでしょうか?
○ **Which would you recommend?**

これの、他の色はありますか?
○ **Do you have this in any other colors?**

これに合う帽子はありますか?
○ **Do you have a hat that would go well with these?**

これ、注文できますか?
○ **Can I order one of these?**

取り置きできますか?
○ **Can you hold this for me?**
………★hold「取り置きする」

ショッピング

サイズについて

はっきりしたサイズはわからないのですが。
○ **I'm not exactly sure what size I need.**

サイズが合わないみたいです。
○ **It doesn't quite fit.**

これはフリーサイズですか?
○ **Is this one-size-fits-all?**
………*「フリーサイズ」は和製英語で、正しくは one-size-fits-all (すべての人に合う)

もっと小さいサイズはありますか?
○ **Does this come in a smaller size?**
………*大きいサイズなら larger にする。

ちょっときついです。
○ **This is a little tight.**

ゆるすぎです。
○ **It's too loose.**

6サイズはありますか?
○ **I'm looking for a size 6.**

パンツの裾上げはできますか?
○ **Can you take up the hem?**
………*hemは「裾」。take up the hem で「裾上げをする」の意に。

ぴったりです。
○ **It's perfect.**
………同意:It's a perfect fit.

ショッピング

商品について話す

少し安くなりませんか?
○ **Could you lower the price just a little?**

もう少し安いのはありますか?
○ **Do you have anything less expensive?**

これでは高くて買えません。
○ **I can't afford it.**
········· ＊ can afford ...「〜を買う余裕がある」

予算をちょっとオーバーしてます。
○ **It's a little out of my price range.**
········· ＊ be out of は「範囲外で」の意。

試着できますか?
○ **Could I try this on?**
········· ＊ Can I try this? だと「試食してみていいですか?」

違う色を試してもいいですか?
○ **Could I try on a different color, please?**

もう少し見て回りたいです。
○ **I think I'm going to look around some more.**
········· ＊ look around で「見て回る」。

また来ます。
○ **I'll be back.**
········· 同意：I'll come back another time.

ちょっと考えてからまた来ます。
○ **Let me think about it.**

ショッピング

支払い

お会計はどこですか?
○ **Where should I pay?**

合計で、おいくらですか?
○ **What's the total?**
………同意: How much is it altogether?

税込みでいくらですか?
○ **How much is it with tax?**

カードは使えますか?
○ **Do you take credit cards?**

このカードは使えますか?
○ **Can I use this credit card?**

日本円で払えますか?
○ **Can I pay in yen?**
………＊pay in...「〜で支払う」

トラベラーズチェックは使えますか?
○ **Do you accept travelers' checks?**

お釣りがまだです。
○ **You haven't given me my change yet.**

計算が違っているようです。
○ **I think there's a mistake in the bill.**

ショッピング

リクエストする

贈りもの用に包んでいただけますか?
○ **Could you gift wrap that for me?**

ギフト包装はどこでできますか?
○ **Where can I get this gift-wrapped?**

(包装には)別途料金がかかりますか?
○ **Is there an extra charge?**
·········*extra charge「別料金」同意：Is there a charge for gift wrapping?

その包装紙と、このリボンがいいです。
○ **I'd like that paper, and this ribbon.**

別々に包んで下さい。
○ **Please wrap these separately.**

袋に入れてもらえますか?
○ **Could you put it in a bag for me?**

袋はいりません。
○ **I don't need a bag.**

壊れないように包んでください。
○ **Could you wrap it so it doesn't get broken?**

荷物をまとめてもらえますか?
○ **Could you put this in with everything else?**

ショッピング

苦情・返品・修理

返品したいのですが。
- **I'd like to return this item.**

別のものと交換できますか?
- **Could I exchange this for something else?**
  ………* exchange「交換する」

サイズが違ってました。
- **It was the wrong size.**

これを昨日買ったのですが、壊れていました。
- **I bought this here the other day, and found that it was broken.**

ここで昨日買ったのですが、返品できますか?
- **I bought this here the other day, and would like to return it.**

サイズが合わなかったので返品したいのですが。
- **I'd like to return this. It wasn't the right size.**

これがレシートです。交換してください。
- **Here's the receipt. I'd like to exchange this for something else.**

かかとを直してくれますか?
- **Can you fix the heels?**

出来上がりはいつですか?
- **When will they be ready?**

観光

申し込み

妻と2人でクルーズの予約をお願いしたいのですが。
○ **My wife and I want to book a cruise.**
………＊bookは「「予約する」「申し込む」の意。

市内観光のバスツアーに申し込みます。
○ **I'm going to book a seat on a bus sightseeing tour of the city.**

日本語のガイド付きのツアーはありますか?
○ **Do you have any tours with Japanese-speaking guides?**

午前中だけの半日ツアーはありますか?
○ **Do you have any half-day morning time tours?**

買い物する時間はありますか?
○ **Will there be time to do some shopping?**

子ども向けのツアーはありますか?
○ **Do you have any tours geared toward children?**
………＊gear toward…で「〜を対象とする」という意味に。

申し込んだツアーをキャンセルしたいのですが。
○ **I need to cancel the tour reservation I made.**

今からでもキャンセルできますか?
○ **Can I still cancel my reservation?**

キャンセル料はかかりますか?
○ **Is there a service charge for canceling?**

何時に解散ですか?
○ **What time are we allowed to split up?**
………＊split up「解散する」

観光

ツアーに参加する

あれはなんですか?
○ **What's that over there?**

あの建物はいつ頃建てられたものですか?
○ **About how long ago was that structure built?**

中に入って見学できますか?
○ **Can we go inside and have a look?**

これは誰の作品ですか?
○ **Whose painting is this?**

写真をとってもいいですか?
○ **Is it okay to take photos?**
………＊Is it okay to…? は「〜をしてもかまいませんか?」と許可を求める言い方。

何時に戻ってくればいいですか?
○ **What time should we be back?**

写真をとってもらえますか?
○ **Would you take my (our) picture, please?**
………同意：Would you take a picture of me (us), please?

パンフレットはどこでもらえますか?
○ **Where can I get a pamphlet?**

おすすめの場所はありますか?
○ **Can you recommend a good spot?**

景色がいい場所を教えて下さい。
○ **Please recommend a spot with a really nice view.**

観光

劇場へ行く

ミュージカルを観たいんです。
○ **I'd like to see a musical.**

人気のあるお芝居はどれですか?
○ **What plays are popular right now?**

今晩のチケットはまだありますか?
○ **Are there still tickets left for tonight's performance?**

劇場へはどうやって行けばいいですか?
○ **How do I get to the theater?**

「シカゴ」はどこで見られますか?
○ **Where can I see Chicago?**

明日の夜どこかでクラシックコンサートは聴けますか?
○ **Is there a classical music performance taking place anywhere tomorrow night?**

指定席を予約したいのですが。
○ **I'd like to reserve a seat.**

前の方の席はまだありますか?
○ **Are there still seats available up front?**

チケット売り場はどこですか?
○ **Where's the ticket booth?**

当日券はありますか?
○ **Are tickets available on the day of the performance?**

観光

映画

「スター・ウォーズ」は、やっていますか?
○ **Is Star Wars playing?**
………＊「上映」は playing もしくは showing。

「ボヘミアン・ラプソディ」を2枚お願いします。
○ **I'd like two tickets for Bohemian Rhapsody, please.**

次の上映時間は何時ですか?
○ **What time is the next showing?**

映画の終わる時間は何時ですか?
○ **What time will the movie end?**

再入場はできますか?
○ **Can I leave and get back in?**

何時が最終上映になりますか?
○ **What time is the last showing?**

ポップコーンとコーラのLサイズを下さい。
○ **Popcorn and a large cola, please.**

(ポップコーンに)バターはかけないで下さい。
○ **No butter on the popcorn, please.**

映画はどれくらいの長さですか?
○ **How long is the movie?**

その映画はいつまで上映していますか?
○ **How long will the movie run?**

レストランで

レストランについて

おすすめのレストランはありますか?
○ **Is there a restaurant you could recommend?**

この辺りにおすすめのレストランはありますか?
○ **Can you recommend a good restaurant in this area?**

(この時間でも)まだやっているレストランはありますか?
○ **Is there a restaurant still open?**

予約をしないと入れませんか?
○ **Do I need reservations?**

予約をお願いします。
○ **I'd like to make a reservation.**

8時から3名でお願いします。
○ **I'd like to reserve a table for three at 8:00.**
………＊reserve a table for +(人数)で「～名分の予約する」の意に。

何時なら予約できますか?
○ **What time can we make a reservation for?**

開店は何時ですか?
○ **What time are you open?**

では、その時間でお願いします。
○ **Okay, I'll take that time.**

レストランで

店に入る

8時に予約をした田中です。
○ **I have an 8:00 reservation under Tanaka.**

予約してないのですが、入れますか?
○ **I don't have a reservation. Can I get a table?**

何時頃に入れますか?
○ **About what time will we be able to get a table?**

どのくらい待ちますか?
○ **About how long will we need to wait?**

では、9時頃にまた来ます。
○ **Okay, we'll come back at around 9:00.**

ラストオーダーは何時ですか?
○ **When do you stop taking orders?**

子ども連れでも大丈夫ですか?
○ **Do you admit families with children?**

15分くらい遅れそうなのですが。
○ **It looks like we'll be about 15 minutes late.**

窓際の席は空いてますか?
○ **Can I have a table by the window?**

レストランで

注文する

メニューを下さい。
○ **Could I see a menu, please?**

注文をお願いします。
○ **We'd (I'd) like to order now.**

飲み物を先にもらっていいですか?
○ **Could you bring us our drinks first?**
········同意：We'd like our drinks first.

コースにコーヒーはつきますか?
○ **Does coffee come with dinner?**

紅茶付きですか?
○ **Does this include tea?**

単品でも頼めますか?
○ **Can I order this separately?**

おすすめの料理はどれですか?
○ **What do you recommend?**

これはどんな料理ですか?
○ **What kind of dish is this?**
········＊メニューを指して店員にたずねる時の言い方。

これは辛いですか?
○ **Is this very spicy?**

レストランで

取り分け用の小皿を下さい。
○ **Could we have some small plates, please?**

水を二人分下さい。
○ **Water for two, please.**

注文がまだなのですが。
○ **Our order hasn't come yet.**

料理がまだ来ません。
○ **Our food hasn't come yet.**

この料理は頼んでいません。
○ **We didn't order this.**

下げていただけますか。
○ **Please clear the table for us.**

デザートを頼みたいのですが。
○ **We'd like to order dessert now.**

デザートメニューを見せてください。
○ **Could you show us the dessert menu?**

何か追加してもいいですか?
○ **Can I order something else?**

もう一度メニューを見てもいいですか?
○ **Could I have the menu again?**

レストランで

お会計

会計をお願いします。
○ **Check, please.**

お会計をお願いします。
○ **Could you bring us the check, please?**
………＊checkは「勘定書」。

別々で払えますか?
○ **Can we pay separately?**
………＊pay separately「個別会計」

すべていっしょに会計してください。
○ **Put everything on one bill, please.**
………同意：One bill is fine.

クレジットカードでお願いします。
○ **I'll be paying by credit card.**

サービス料は含まれていますか?
○ **Is service included?**

計算に間違いがあるようですが。
○ **I think there's a mistake in the bill.**

お釣りは結構です。
○ **Keep the change.**

領収書をいただけますか。
○ **Can I have a receipt, please?**

体調不良・病気

頭痛に効くものを探しています。
○ **I'm looking for something for a headache.**

下痢に効く薬はどれですか?
○ **Which of these helps with diarrhea?**
　　　　……＊diarrhea「下痢」

日焼け止めクリームをください。
○ **I'd like some sunscreen, please.**
　　　　……＊sunscreenは「日焼け止め」。sun-blockとも言う。

咳止めのシロップはどの棚ですか?
○ **What aisle is the cough syrup in?**

虫除けのスプレーはありますか?
○ **Do you carry bug spray?**

何か胃痛に効くものはありますか?
○ **Do you have anything for a stomachache?**
　　　　……＊Do you have anything for…?で「〜はありますか?」。

熱を下げる薬はありますか?
○ **Do you have anything to reduce a fever?**

処方箋が必要ですか?
○ **Do I need a prescription for this?**
　　　　……＊prescriptionは「処方箋」。prescription drugで「処方薬」となる。

一日に何度服用すればいいのでしょうか?
○ **How many times a day should I take it?**

何か副作用はありますか?
○ **Are there any side effects?**

体調不良・病気

医者に診てもらう

医者に診てもらいたいのですが。
○ **I need to see a doctor.**

近くに病院はありますか?
○ **Is there a hospital nearby?**

病院まで連れて行ってもらえますか?
○ **Could you take me to the hospital, please?**

旅行者です。
○ **I'm a tourist.**

具合が悪いので診ていただきたいのですが。
○ **I don't feel well. Could I see a doctor, please?**

保険に加入しています。
○ **I'm insured.**

保険があります。
○ **I have insurance.**

保険には加入していません。
○ **I'm not insured.**

どのくらい待ちますか?
○ **About how long will I have to wait?**

すぐに診てほしいのですが。
○ **I need to see a doctor right away.**

体調不良・病気

症状を伝える

頭が痛いです。
○ **I've got a headache.**
………同意：My head hurts.

下痢しています。
○ **I have diarrhea.**

熱があります。
○ **I have a temperature.**

吐き気がします。
○ **I feel nauseous.**

めまいがします。
○ **I feel dizzy.**

車にぶつかりました。
○ **I ran/bumped into a car.**

ここらへんが痛いです。
○ **It hurts right around here.**

息苦しいです。
○ **I'm having trouble breathing.**

薬のアレルギーはありません。
○ **I'm not allergic to any medications.**

持病はありません。
○ **I don't have any chronic illnesses.**
………＊chronic illnessesは「持病」「慢性的な病気」。

旅のトラブル

トラブル発生!

警察を呼んで下さい。
○ **Please call the police.**

財布を盗まれました。
○ **My wallet's been stolen.**

タクシーにバッグを置き忘れました。
○ **I left my briefcase in a taxi.**

クレジットカードをなくしました。
○ **I've lost my credit card.**

どこへ届け出ればいいですか?
○ **Who should I report it to?**

カードを無効にしてください。
○ **Please cancel the card.**
………* cancel the card で「カードを無効にする」。

パスポートをなくしてしまいました。
○ **I've lost my passport.**

再発行まで時間はどのくらいかかりますか?
○ **About how long will it take to get a replacement?**

日本へはいつ帰れますか?
○ **When will I be able to return to Japan?**

日本に電話をかけたいのですが。
○ **I'd like to place a call to Japan.**

旅のトラブル

助けを呼ぶ

緊急事態です!
○ **It's an emergency!**

誰か助けて!
○ **Someone please help me!**
………同意：Help, someone!

一緒に来て下さい!
○ **Please come with me!**

警察を呼んで下さい!
○ **Call the police!**

救急車を呼んで下さい!
○ **Call an ambulance!**
………＊ambulanceは「救急車」。

泥棒です!
○ **Thief!**

やめて下さい!
○ **Stop!**
………＊相手の行為をやめさせる。同意：Stop that!

そんなことしないで!
○ **Don't do that!**

あっちへ行って!
○ **Knock it off!**

やめなさい!
○ **Cut it out!**

旅のトラブル

警官に助けを求める

おまわりさん、助けてください！
○ **Please, officer, help me!**

変な人に追われています！
○ **I'm being chased by a crazy person.**
  ………同意：A pervert is following me around.

早く来て。けが人がいます！
○ **Please come quick. Someone's hurt!**

車内にカギを置いたまま施錠してしまいました。
○ **I locked my keys in my car.**

15分前にここに止めておいた車がありません。
○ **I parked my car here 15-minutes ago, and it's gone.**

公園を出たところで襲われたんです。
○ **I was just mugged as I was leaving the park.**
  ………＊be mugged は「襲われて金品を奪われる」。「路上強盗」は mugger。

この女性がレイプされました。助けてあげてください。
○ **This woman was raped. Can you help, please?**

パスポートを入れたバッグが置き引きされました。
○ **Someone stole my bag with my passport in it.**

そこのパブで不当な料金を請求されました。
○ **I got overcharged at that pub.**

あの男に殴られた。
○ **I was punched by that guy.**

Column11

🖊 アメリカ人の夏

　みなさんは、夏はどんな風に過ごしますか？

　私たちアメリカ人は、夏休みを利用して海へ行ったり、長期でバカンスを楽しんだりします。

　特に子供たちは休みが2ヶ月近いので、Summer campへと出かける習慣があります。この親と離れて過ごすひと夏のキャンプが、子供の成長に大きく影響するといわれています。

　地域の公園では、野外映画上映会やゲーム大会などが盛んに行われて、外で過ごすことが多くなります。

　また夏の風物詩といえば、なんといっても7月4日の独立記念日です。この日は家族や友人が集まり、庭でBBQをしながら、花火を見るのが定番の過ごし方です。玄関先のブランコや、庭に並べた椅子から花火を眺めて、夏がやってくることを実感します。

　さて、楽しい夏でも気をつけなければいけないのが、「熱中症」。日本でも熱中症対策がさかんに行われていますが、英語で「熱中症」は「**heat stroke**」と言います。

My grandmother got heat stroke.
（祖母が熱中症で倒れた）

　のように使います。みなさんも暑さ対策をしながら、楽しんでくださいね。

Column12

✎ 自然災害の英語

　アメリカでの自然災害はというと、まず「台風」「竜巻」があげられます。映画やニュース映像などで、そのすさまじさをご存知の方も多いでしょう。

　日本語では「台風」とひとことで表しますが、英語では台風「**typhoon**」、ハリケーン「**hurricane**」、トルネード「**tornado**」、サイクロン「**cylcone**」と、発生場所により違いがあります。
「typhoon」は北太平洋、「hurricane」は北大西洋、「cyclone」はインド洋で発生した熱帯性低気圧のこと。
　一方「tornado」は、陸で巻き起こる竜巻のことです。広大な土地ゆえ、積乱雲による上昇気流が発達しやすく、大きな渦となり、あらゆるものを飲み込みながら進む恐ろしいものです。

　アメリカでは、竜巻が発生すると「**tornado warning**」（竜巻警報）がラジオや市内放送で発せられ、「**emergency shelter**」と呼ばれるシェルターなどに避難するようになっています。
　シェルターがない建物などでは、地下もしくは窓のない部屋へと移動することになっています。シェルターの場所を示す看板なども日ごろからチェックしておくと慌てないですむでしょう。
　とはいえ、日本の地震と同じく、アメリカ人も竜巻慣れをしてしまっていることもあり、逃げ遅れて被災する人が多くいるのも事実。「**Go to the shelter!**」（シェルターへ！）などと言われたら深刻な状況ですので、すぐさま避難しましょう！

⏻ おわりに

　せっかく学んだフレーズが、いざ話そうと思っても出てこない。そんなくやしい経験を持っている人も多いかもしれません（英語を学ぶ人なら、ほとんど全員ですよね？）。

　この本のフレーズを、ぜひご自身で音読して、耳からも学習してください。定着度が大幅にアップします。

「１行フレーズ」を使いこなして活躍するみなさんと、どこかでお会いできる日を楽しみにしています。

Good luck!

デイビッド・セイン

青春新書
INTELLIGENCE

こころ涌き立つ「知」の冒険

いまを生きる

"青春新書"は昭和三一年に――若い日に常にあなたの心の友として、その糧となり実になる多様な知恵が、生きる指標として勇気と力になり、すぐに役立つ――をモットーに創刊された。

そして昭和三八年、新しい時代の気運の中で、新書"プレイブックス"にその役目のバトンを渡した。「人生を自由自在に活動する」のキャッチコピーのもと――すべてのうっ積を吹きとばし、自由闊達な活動力を培養し、勇気と自信を生み出す最も楽しいシリーズ――となった。

いまや、私たちはバブル経済崩壊後の混沌とした価値観のただ中にいる。その価値観は常に未曾有の変貌を見せ、社会は少子高齢化し、地球規模の環境問題等は解決の兆しを見せない。私たちはあらゆる不安と懐疑に対峙している。

本シリーズ"青春新書インテリジェンス"はまさに、この時代の欲求によってプレイブックスから分化・刊行された。それは即ち、「心の中に自らの青春の輝きを失わない旺盛な知力、活力への欲求」に他ならない。応えるべきキャッチコピーは「こころ涌き立つ"知"の冒険」である。

予測のつかない時代にあって、一人ひとりの足元を照らし出すシリーズでありたいと願う。青春出版社は本年創業五〇周年を迎えた。これはひとえに長年に亘る多くの読者の熱いご支持の賜物である。社員一同深く感謝し、より一層世の中に希望と勇気の明るい光を放つ書籍を出版すべく、鋭意志すものである。

平成一七年

刊行者　小澤源太郎

著者紹介
デイビッド・セイン〈David Thayne〉
米国生まれ。証券会社勤務後に来日。日本での35年を越える英語指導の実績をいかし、AtoZ GUILDと共同で英語学習書、教材、Webコンテンツの制作を手掛ける。累計400万部を超える著書を刊行、多くがベストセラーとなっている。AtoZ English（www.atozenglish.jp）主宰。

これ一冊で日常生活まるごとOK！
英会話 ネイティブの
1行フレーズ2500

青春新書
INTELLIGENCE

2020年3月15日　第1刷

著　者　　デイビッド・セイン

発行者　　小澤源太郎

責任編集　株式会社プライム涌光

電話　編集部　03(3203)2850

発行所　東京都新宿区若松町12番1号
〒162-0056　株式会社青春出版社

電話　営業部　03(3207)1916　　振替番号　00190-7-98602

印刷・中央精版印刷　　製本・ナショナル製本
ISBN978-4-413-04592-6

お願い
ページわりの関係からここでは一部の既刊本しか掲載してありません。折り込みの出版案内もご参考にご覧ください。

お願い　ページわりの関係からここでは一部の既刊本しか掲載してありません。折り込みの出版案内もご参考にご覧ください。

お願い
ページわりの関係からここでは一部の既刊本しか掲載してありません。折り込みの出版案内もご参考にご覧ください。

こころ涌き立つ「知」の冒険！

青春新書 INTELLIGENCE

お願い　ページわりの関係からここでは一部の既刊本しか掲載してありません。折り込みの出版案内もご参考にご覧ください。

こころ涌き立つ「知」の冒険!

青春新書
INTELLIGENCE

お願い

ページわりの関係からここでは一部の既刊本しか掲載してありません。

折り込みの出版案内もご参考にご覧ください。